Gadewch i Paul Robeson Ganu !
Let Paul Robeson Sing !

**dathlu bywyd Paul Robeson
a thrafod ei berthynas â Chymru
celebrating the life of Paul Robeson
and his relationship with Wales**

cyhoeddiad Pwyllgor Paul Robeson Cymru / Llyfrgell Genedlaethol Cymru
a Paul Robeson Wales Trust / National Library of Wales publication

Dyluniwyd y cyhoeddiad gan / Publication designed by **DARREN DOBBS** (*cynllun Koncept / Koncept design* 01656 649466)
a / and **PHIL COPE** (*diwylliant & democratiaeth / culture & democracy* 01656 870180)

**cyhoeddiad Pwyllgor Paul Robeson Cymru / Llyfrgell Genedlaethol Cymru
a Paul Robeson Wales Trust / National Library of Wales publication**

Pwyllgor Paul Robeson Cymru / The **Paul Robeson Wales Trust** is
Yr Athro / Professor Hywel Francis MP, Sharon Hall, Derek Gregory, Harry Ernest, Ian Ernest, Leslie Clarke, Glenn Jordan
Phil Cope, Cyfarwyddwr PPRC / PRWT Director   Beverley Humphreys, Cydgordydd PPRC / PRWT Co-ordinator

Mae arddangosfa **Gadewch i Paul Robeson Ganu !** yn waith ar y cyd rhwng Amgueddfa ac Oriel Genedlaethol Caerdydd a Theatr yr Amgueddfa, Yr
Amgueddfa Genedlaethol i Berfformiadau Celfyddydol, Llundain. Addaswyd yr arddangosfa o *Paul Robeson: Bearer of a Culture* a gylchredwyd drwy UDA
gan Gyngor Prosiectau Creadigol. Fe'i noddwyd a'i chynhyrchu gan Sefydliad Paul Robeson Inc.
The **Let Paul Robeson Sing !** exhibition was designed and is toured by the Paul Robeson Wales Trust.
It is a collaborative project between the National Museums & Galleries of Wales and the Theatre Museum, National Museum of the Performing Arts, London,
adapted from *Paul Robeson: Bearer of a Culture* circulated throughout the USA by the Council for Creative Projects,
and sponsored and produced by the Paul Robeson Foundation Inc.

Y cysyniad a'r cynllun i'r arddangosfa / Exhibition Concept and Design: **PHIL COPE**
Ymchwil / Research and Text: **MARILYN ROBESON, PHIL COPE, SUSAN CROFT, JEN WILSON, GLENN JORDAN**
Ymgynghorydd Hanesyddol / Historical Adviser: **YR ATHRO / PROFESSOR HYWEL FRANCIS MP**
Crewyr Graffig / Graphic Design: **PHIL COPE, DARREN DOBBS**
Addasiad Cymraeg / Welsh Translation **NIA JONES**
Trac Sain Gwreiddiol / Original Soundtrack: **ANDREW GRIFFITHS**
(gyda chymorth **Willard White** fel llais Robeson a'r recordiad gwreiddiol o'r *Ffliwt Hudol*; **Gary Meredith** fel llais Howard Fast a **Theatr Ieuenctid
Gwent** fel terfysgwyr Peekskill / with the assistance of **Willard White** as the voice of Robeson and the original recording from *The Magic Flute*;
Gary Meredith as the voice of Howard Fast and **Gwent Young People's Theatre** as the Peekskill rioters)
Cyd gysylltydd Murlun 'Responses' / 'Responses' Mural Co-ordinator: **PHILIP CHILDS**

Mae'r cynllun wedi ei noddi gan / The project has been sponsored by
**Gynulliad Cenedlaethol Cymru / The National Assembly for Wales, Adran Diwylliant, Treftadaeth a Chwaraeon / The Department of
Culture, Heritage & Sport, Y Swyddfa Gartref / The Home Office, Unison, GMB, T&GWU, HTV, Cywaith Cymru / Art Works Wales,
Academi, Arts & Business New Partners, Argraffau HSW / HSW Print, Gofalaeth Asedau Sterling / Sterling Asset Management, Tŷ Nant**

ISBN 1 86225 038 3

Let Paul Robeson Sing !

rhagair

Paul Robeson Jnr.

foreword

Paul Robeson Jnr.

"Daeth yr arddangosfa hon yma yng Nghymru yn arddangosfa Paul Robeson i'r Byd!"

"This exhibition here in Wales has become THE Paul Robeson exhibition for the World!"

Paul Robeson Jr.

Pan gerddais i mewn i arddangosfa **Gadewch i Paul Robeson Ganu !** ar ddydd Sadwrn Ebrill 7 2001 cefais brofiad ysgytwol. Yno, gyda mi yr oedd Phil Cope cynllunydd yr arddangosfa. Roeddwn i wedi bod mewn cyswllt agos ag ef yn y misoedd cynt. Roeddwn i hefyd yn adnabod rhai pobl allweddol arall yno - Dr. Hywel Francis AS, Beverley Humphreys a Darren Dobbs a oedd wedi bod yn gweithio ar y prosiect yn ystod y ddwy flynedd flaenorol. O'r herwydd, gwyddwn y byddai'r arddangosfa yn gwneud cyfiawnder â bywyd fy nhad a'r cof amdano.

Pan welais i'r arddangosfa, fodd bynnag, fe'm syfrdanwyd ac fe'm synnwyd i'r byw. Llwyddodd yr arddangosfa fel cyfanwaith i danio'r cof am fy nhad ym meddyliau cenedlaethau o Gymry mewn amryfal ffyrdd. Clymwyd y traddodiadau unigryw Cymreig at fy nhraddodiadau unigryw Affricanaidd-Americanaidd i. Roedd iddi apêl cyffredinol.

I was deeply moved when I entered the **Let Paul Robeson Sing !** Exhibition for the first time on Saturday 7 April 2001. I was accompanied by the creator, Phil Cope, with whom I had been in close touch for months prior to the opening of the exhibition, and I knew some of the distinguished people - Dr. Hywel Francis MP, Beverley Humphreys and Darren Dobbs - who had been working on the project for the previous two years. Consequently, I fully anticipated that the exhibition would do justice to the memory of my father's life.

However, what I saw was wholly unexpected and took my breath away. Here was an exhibition that, as a whole, and in all of its parts, brought my father to life in a myriad of tangible ways for Welsh people of all generations. In addition it connected the unique Welsh culture to my unique African-American culture in a manner that had a universal appeal.

5

Ar derfyn yr arddangosfa fe'm cyffyrddwyd i'r byw gan y sylwadau gwreiddiol a thrawiadol a nodwyd gan wylwyr o bob cefndir. Bydd y profiad wedi ei serio ar fy nghof am byth.

At the end of the exhibition I was overwhelmed by the striking and innovative display of spontaneous comments recorded by a wide range of viewers. The result is forever etched in my memory.

Nid gwers hanes yn unig mo'r arddangosfa hon. Mae **Gadewch i Paul Robeson Ganu!** yn dystiolaeth fyw a llachar o'r cysylltiad a fu rhwng bywyd fy nhad a'r bywyd Cymreig fel ag y mae heddiw ac fel y bydd yn y dyfodol.

Paul Robeson Jnr.

This exhibition **Let Paul Robeson Sing !** is not merely a history lesson. It is a vibrant, living testimony to the connection between my father's legacy and Welsh life today and in the future.

Paul Robeson Jnr.

cyflwyniad   introduction

Llun o Robeson gan / Robeson portrait by Yusuf Karsh, 1940

"Cyn i King freuddwydio, cyn i Thurgood Marshal ddeisebu, cyn i Sidney Poitier gorddi emosiynau, cyn i bobl ddu eu crwyn ennill gwobrau ac enwogrwydd yn Hollywood a Washington, cyn i arwyddion Jim Crow gael eu tynnu i lawr ac arwyddion Hawliau Sifil gael eu codi, cyn Spike Lee, cyn Dezel, cyn Sam Jackson a Jesse Jackson - cyn y rhain i gyd yr oedd Paul Robeson."

Lerone Bennett Jnr., 1998

Mae bywyd Paul Robeson yn gronicl ysbrydoledig o hanes diwylliannol a chymdeithasol yr ugeinfed ganrif. Roedd ganddo ddoniau anhygoel. Roedd yn ysgolhaig, yn athletwr, yn ieithydd, yn ganwr, yn areithiwr ac yn actifydd. Llwyddodd i newid rhywfaint ar y cyfnod cythryblus hwnnw a gadawodd ei ôl ar y bobl hynny a gyfarfu ag ef neu a'i gwelodd yn perfformio.

Roedd gwreiddiau ei gelfyddyd ynghyd â'r ffaith ei fod yn actifydd mor frwd yn delllio o ddiwylllant ei gyndeidiau a'i bobl a fu'n gaethweision ac a ddioddefodd gyhyd. Bu ei safiad plaen ar faterion canolog y cyfnod yn fodd i agor drysau i genedlaethau o artistiaid Affrican-Americanaidd y dyfodol.

"Before King dreamed, before Thurgood Marshall petitioned and Sidney Poitier emoted, before the big breakthroughs in Hollywood and Washington, before the Jim Crow signs came down and before the Civil Rights banners went up, before Spike Lee, before Denzel, before Sam Jackson and Jesse Jackson, there was Paul Robeson."

Lerone Bennett Jnr., 1998

Paul Robeson's life is an inspiring chronicle of the cultural and social history of the twentieth century. His gifts were prodigious. Scholar, athlete, intellectual, linguist, singer, actor, orator and activist, he shaped his turbulent times like few others and left a memorable mark on all who met him, saw him perform or listened to his voice on record or radio.

Robeson's artistry and activism were rooted in his identification with the culture of his slave forebears and the continuing struggles of his people. His forthright stand on the central issues of the day helped open doors for future generations of African-American artists.

Ef oedd y canwr cyngerdd cyntaf i wrthod perfformio o flaen cynulleidfaoedd wedi eu gwahanu ar sail eu lliw. Bu hefyd yn ymchwilio ac yn dehongli emynau Negroaidd fel rhan o ddiwylliant gwerin.

Roedd yn ŵr urddasol, bonheddig a llwyddodd drwy hyn i gael gwared ar y ddelwedd ystrydebol du 'Sambo Americanaidd' ym myd y ffilm a'r theatr yn yr Unol Daleithiau.

Drwy'r byd i gyd roedd pobl yn gwirioni ar ei gelfyddyd, ei ddynoliaeth, a'i angerdd am gydraddoldeb, rhyddid a heddwch. Yn yr Amerig, fodd bynnag, 'roedd ei safiadau cadarn yn erbyn hiliaeth ac anghyfartaledd yn aml yn ennyn llid pobl oedd yn llywodraethu'r wlad.

Gyda'r byd yn ei glodfori, fe gododd i frwydro dros hawliau'r gorthrymedig a thrwy hynny aberthodd ei yrfa berfformio. Gallasai'r byd yn hawdd fod wedi anghofio amdano.

Mae **Gadewch i Paul Robeson Ganu !** yn atgoffa Cymru am gyfaill a ddysgodd lawer oddi wrthym ni ond sydd hefyd â rhywbeth i'w ddysgu i ni fel pobl ac fel cenedl.

Roedd yn fab i gaethwas a enillodd ryddid drwy ddianc i Ogledd yr Amerig. Dywedodd Paul Robeson fod ei addysg wleidyddol wedi dechrau yn y DU drwy ei gysylltiadau â gweithwyr cyffredin. O ddiwedd y 1920au fe ffurfiodd berthynas agos iawn â glowyr De Cymru a bu'n canu yn ddiweddarach yn y cymoedd dros Sbaen Weriniaethol. Mae'n eironig mai ym Mhrydain y daeth i ddarganfod ei etifeddiaeth Affricanaidd ac mai yma y datblygodd ei awydd i frwydro yn erbyn gwladychiaeth. Fe barhaodd hon yn frwydr iddo drwy gydol ei oes. Yn Llundain fe ymchwiliodd i fath newydd o ddrama sosialaidd gyda Unity Theatre.

Ei hoff ffilm oedd *Proud Valley* a ffilmiwyd yn Ne Cymru ac a ddarluniai amgylchiadau enbydus y gweithwyr yno. Dyma un o'r ffilmiau cyntaf i bortreadu dyn du ei groen yn arwr. Gwelai Robeson fod tebygrwydd mawr rhwng bywyd glöwr a chaethwas Americanaidd. Roedd y linc ffôn traws-Iwerydd a wnaed rhwng Robeson yn Efrog Newydd ac Eisteddfod y Glowyr ym Mhorthcawl yn 1957 yn un o'r atgofion mwyaf ingol yn hanes gwleidyddol a diwylliannol Cymru. Bu'n rhaid iddo wneud yr alwad gan fod ei basbort wedi cael ei feddiannu yn un o gyrchoedd McCarthy.

Mewn cyfnod cythryblus fel sydd ohoni heddiw, mae bywyd Paul Robeson yn cynnig ei hun fel patrwm i bobl sydd yn ymladd yn erbyn hiliaeth ac sydd yn ceisio'n barhaus i greu byd mwy goddefol i ni fyw ynddo.

Fydd ei lais ddim yn mynd yn angof yng Nghymru. Dyma genedl sydd wedi ei magu ar harmoni corawl ac yn rhannu ei angerdd am frwydro yn erbyn anghyfiawnder a thros democratiaeth.

He was the first concert singer to refuse to appear before segregated audiences, and to explore and interpret Negro Spirituals as part of folk culture.

His dignified male image continually challenged the Black racial stereotypes in American film and theatre. His artistry, his humanity and his passion for equality, freedom and peace were loved and respected throughout the world. Yet in America, his unwavering challenge against racism and inequality often placed him in direct confrontation with the government.

With the world at his feet, he made a decision to stand up for the rights of the oppressed wherever in the world they were to be found, sacrificed his performing career, and faced the erasure of his memory from history.

Let Paul Robeson Sing ! reminds Wales of an old friend who learned much from us and still has much to teach us, as individuals and as a nation.

Paul Robeson, the son of an escaped slave, said that his political education began in the UK through his contact with ordinary working people. From the late 1920s, he forged an unbreakable bond with the miners of South Wales, and later sang in the valleys to raise funds for Republican Spain.

Ironically, it was in Britain that he discovered the richness of his African inheritance and developed his lifelong concern for the struggles against colonialism worldwide. And in London he explored a new kind of socialist drama with Unity Theatre.

Proud Valley, filmed in South Wales and exploring the harsh realities of mining life, was his favourite film and one of the first where a Black man could be the hero.

Robeson saw clear parallels between the miner's life and that of the American slave. The trans-Atlantic telephone link between Robeson in New York and the 1957 Miners' Eisteddfod in Porthcawl - made necessary by the confiscation of his passport during the McCarthyite purges - was one of the most resonant moments in Welsh political and cultural history.

Today, Paul Robeson's life still offers a powerful role model for challenging racism and developing a more tolerant world at a time when such a message is more desperately needed than ever.

His voice will never be forgotten in Wales, a nation nurtured on choral harmony and sharing his passion for the cultures of struggle and democracy.

Phil Cope
Cyfarwyddwr / Director
Pwyllgor Paul Robeson Cymru
Paul Robeson Wales Trust
Mai / May 2003

cystal â'r gweddill at least as good

dyddiau cynnar robeson   robeson's formative years

"Yn fy mhlentyndod mae'n rhaid fy mod wedi teimlo'n amddifad ar adegau ond yr ymdeimlad cryfaf sydd gen i yw teimlo'n ddiogel ac yn gysurus."

"There must have been moments when I felt the sorrows of a motherless child, but what I most remember from my youngest days was an abiding sense of comfort and security."

Paul Robeson

William Drew Robeson

Maria Louisa Bustill Robeson

Ganwyd Paul Leroy Robeson, yr ieuengaf o bump, yn Princeton, New Jersey ar Ebrill y 9fed, 1898. Ei rieni oedd y Parchedig William Drew Robeson a Maria Louisa Bustill Robeson.

Ganwyd ei dad i gaethwasanaeth ar blanhigfa Robeson yn Nhrefgordd Cross Roads yng Ngogledd Carolina. Yn bymtheg oed, fe ddihangodd William Drew i'r Gogledd i ymuno â Byddin yr Undeb. Drwy ryfedd wyrth fe aeth yn ei flaen i gael gradd mewn Diwinyddiaeth ym Mhrifysgol Lincoln ym Mhensylfania a daeth yn weinidog yr efengyl.

Priododd â Maria Louisa Bustill yn 1878. 'Roedd ei theulu hi'n enwog a medrent olrhain eu gwreiddiau i bobl y Bantu Affricanaidd, tra yn yr Amerig yr oedd ei theulu wedi priodi ag Indiaid Delaware a Chrynwyr Seisnig. Roedd hi'n athrawes alluog a chanddi berson-oliaeth fwynaidd.

Yn drasig iawn fe fu farw pan oedd Paul ond yn bum mlwydd oed. Doedd ei golwg ddim yn dda a dioddefodd lawer o afiechydon ar hyd ei hoes. Fe'i llosgwyd yn angheuol wrth i delpyn o lo ddisgyn o'r stôf ar ei ffrog.

Paul Leroy Robeson, the youngest of five children, was born in Princeton, New Jersey on April 9, 1898 to the Reverend William Drew Robeson and Maria Louisa Bustill Robeson.

His father was born into slavery on the Robeson plantation in Cross Roads Township, North Carolina. At the age of fifteen, William Drew escaped North and joined the Union Army. Remarkably, he then gained a degree in Theology from Lincoln University in Pennsylvania, and became a minister of the church.

William Drew married Maria Louisa Bustill in 1878. Her distin-guished family traced its roots to the African Bantu people, while in America its members had intermarried with Delaware Indians and English Quakers. She was a teacher with a fine intellect and gentle personality.

Maria Louisa died tragically when Paul was just five years old. She was plagued by ill health and impaired sight throughout her life, and was fatally burned when a coal from the family stove fell onto her dress.

Rhwng 1500 a 1900, cipiodd Ewropeaid gymaint â 20 miliwn o bobl o Orllewin yr Affrig drwy rym. Cludwyd hwy ar draws Môr yr Iwerydd mewn amgylchiadau enbydus. Dosbarthwyd y caethweision hyn - ffermwyr, masnachwyr, milwyr, gofaint aur, cerddorion, gwŷr a gwragedd, mamau a thadau, merched a meibion - ar draws yr Amerig. Cawsant eu trin yn farbaraidd ac yn fwystfilaidd. Bu farw miliynau yn y Diaspora Affricanaidd.

Roedd yna siâp triongl i'r fasnach gaethweision. Fe fyddai masnachwyr yn hwylio o borthladdoedd Ewropeaidd tuag at arfordir gorllewinol yr Affrig. Yno fe fyddent yn prynu pobl yn gyfnewid am nwyddau a'u llwytho i'r llongau. Ar ôl mordaith o chwech i wyth wythnos fe fyddent yn glanio yn yr Americas. Dadlwythwyd yr Affricanwyr hynny a oroesodd y siwrnai a'u rhoi ar werth. Llwythwyd y llongau drachefn â nwyddau fel siwgr, tybaco, coffi, reis a chotwm i ddychwelyd i borthladdoedd Ewrop. Dyma oedd cynnyrch gwaith caled y caethwei-sion.

"With twenty hours of unremitting toil,
Twelve in the field, and eight indoors to boil,
Or grind the cane - believe me, few grow old,
But life is cheap, and sugar, sir, is gold."

Juan Manzana, caethwas o Giwba

Between 1500 and 1900, Europeans forcibly uprooted as many as 20 million people from West Africa and shipped them across the Atlantic in conditions of great cruelty. The slaves - farmers, merchants, priests, soldiers, goldsmiths, musicians, husbands and wives, fathers and mothers, sons and daughters - were dispersed across America to lead lives of degradation and brutality. Millions died in this African Diaspora.

The trans-Atlantic slave trade generally followed a triangular route. Traders set out from European ports towards Africa's west coast. There they bought people in exchange for goods and loaded them into their ships. After a voyage of some six to eight weeks, and arrival in the Americas, those Africans who had survived the journey were off-loaded for sale and put to work.

The ships returned to Europe with sugar, coffee, tobacco, rice and cotton, the products of the slaves' harsh labour.

"With twenty hours of unremitting toil,
Twelve in the field, and eight indoors to boil,
Or grind the cane - believe me, few grow old,
But life is cheap, and sugar, sir, is gold."

Juan Manzana, Cuban slave

"Edrychais o amgylch y llong a gweld myrdd o bobl ddu wedi eu cadwyno i'w gilydd. Llewygais yn y fan a'r lle. Fe'm rhoddwyd i lawr yng nghrombil y llong, o dan y deciau. Yno, roedd yr arogl mor ffiaidd fel y byddwn yn cyfogi'n rheolaidd. Ni allwn fwyta o gwbl a chollais fy awydd i fyw. Erfyniais ar i'r Angau, fy nghyfaill terfynol, ddod ataf i'm gwaredu rhag y boen hon."

Dyfyniadau o *The Interesting Narrative and Other Writings* gan Olaudah Equiano

"I looked around the ship at a multitude of black people chained together and I fainted. I was soon put down under the decks, so that with the loathsomeness of the stench I became so sick and low that I was not able to eat. I wished for the last friend, Death, to relieve me."

Extract from *The Interesting Narrative and Other Writings* by Olaudah Equiano

hanesion bywyd caethweision

"Roedd gan fy meistr dri math o gosb - roedd y bocs chwysu … yn cael ei hoelio … ac yn yr haf fe fyddai'n cael ei roi yn yr haul crasboeth ond yn y gaeaf fe gâi ei roi yn y man mwyaf oer a llaith. Yr ail yw'r cyffglo. Mae'r pren yn cael ei hoelio wrth i chi orwedd ar eich cefn gyda'ch dwylo a'ch traed wedi eu clymu gan roi pwysau trwm ar y frest. Y trydydd yw'r cyffion. Rydych chi'n cael eich gosod ar sgaffaldau uchel am oriau lawer gan geisio cadw'ch pwyll. Fe roddwyd pobl yn y cyffion yn unig swydd i'w gweld yn torri'u gyddfau."
Prince Smith

"Roedd Miss Grace yn ofnadwy o gas i ni. Fe fyddai'n clymu f'arddyrnau i'w gilydd gyda rhaff ac wedyn fe fyddai'r rhaff yn cael ei thynnu drwy stapal fawr yn y nenfwd. Fe fyddai hi'n fy nghodi oddi ar y llawr a rhoi cant o fflangellau i mi. Rwy'n meddwl am fy mami o hyd ac yn cofio amdani yn cael ei chwipio nes bod y gwaed yn diferu oddi wrthi."
Fannie Griffin

"Dim ond merch fach wyth mlwydd oed oeddwn i, yn aros yn nhŷ Miss ac yn gorfod rhoi polish ar ei haddurniadau a sgrwbio ei lloriau hi. Roedd ganddi strap o groen buwch garw, tua dwy droedfedd o hyd ac fe fyddai hi'n fy nghledro i yn ddidrugaredd â hi. 'Doeddwn i ddim yn gwybod pam ei bod hi'n fy chwipio ond fe fyddai'n ddi-baid, yn ddi-baid."
Rebecca Jane Grant

Dyfyniadau o *Before Freedom, When I Just Can Remember* gan Belinda Hurmence

accounts of slave life

"Master had three kinds of punishment ... the sweat box ... is nailed and in summer is put in the hot sun; in winter, it is put in the coldest, dampest place. The next is the stock. Wood is nailed on or with the person lying on his back with hands and feet tied with a heavy weight on his chest. The third is the ... foot shackles. You are placed on a high scaffold for so many hours and you try to keep a level head. Most of the time they were put there so they could break their necks."
Prince Smith

"Missie Grace was mean to us. She tie my wrists together with a rope and put that rope through a big staple in the ceiling and draw me up off the floor and give me a hundred lashes. I think about my old mammy heap of times now and how I's seen her whipped, with the blood dripping off of her."
Fannie Griffin

"I was just a little girl about eight years old staying in the missus' house polishing her brass and scrubbing her floors. It was a raw cowhide strap about two feet long, and she started to pouring it on me all the way upstairs. I didn't know what she was whipping me about, but she pour it on, and she pour it on."
Rebecca Jane Grant

Extracts from *Before Freedom, When I Just Can Remember* by Belinda Hurmence

Er bod Diddymwyr gwyn eu crwyn fel Jessie Donaldson o Abertawe yn cynorthwyo caethweision i gael eu rhyddid roedd hi'n llawer rhy beryglus i Affricanwyr yn yr Amerig weithredu yn agored - pobl fel Harriet Tubman, James Bradley a John Parker. Fe'u gelwid yn "dywyswyr" ar y ffordd i ryddid - y Rheilffordd Danddaearol chwedlonol - a fyddai'n cynnig lloches a "thai diogel" i'r bobl wrth iddynt deithio i'r gogledd. Teithiai'r caethweision yn y nos ac fe'u harweiniwyd gan y sêr neu gan arwyddion. Rhoddwyd arwyddion mewn darnau o fwsogl a dyfai ar ochr ogleddol coed a oedd wedi pydru. Hongiai perchnogion y tai diogel hyn eu carthenni ar y lein ddillad gyda chyfarwyddiadau wedi eu pwytho i'r patrwm cywrain. Fe guddid caethweision y tu ôl i gypyrddau, mewn llofftydd ac mewn seleri.

Although white Abolitionists like Swansea's Jessie Donaldson helped slaves to freedom, it was much more dangerous for African Americans like Harriet Tubman, James Bradley and John Parker. They were known as "conductors" on the road to freedom - the mythical Underground Railroad - which provided "safe houses" and transportation to the north. Slaves travelled by night. They were guided by the stars, or by signs such as moss that grew on the north side of dead trees. Owners of safe houses hung quilts on their clotheslines, with directions worked into the pattern. They hid slaves behind cupboards, in lofts and cellars.

Jessie Donaldson

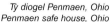

Ty diogel Penmaen, Ohio
Penmaen safe house, Ohio

Harriet Tubman

Doedd fawr iawn o gyfle i ddynion duon ifainc yn Princeton.

Fe lywiwyd bywyd Robeson fodd bynnag gan ei dad a oedd yn feistr caled ac yn benderfynol o ddysgu ei fab. Fe gadwai olwg ar wersi ei fab a'i annog i ganu yng nghôr yr Ysgol Sul a phregethu o'r pulpud.

Etifeddodd Robeson ei awch am addysg, ei awydd am berffeithrwydd a'i onestrwydd digyfaddawd oddi wrth ei dad. Etifeddodd rywbeth arall yn ogystal:

"Roedd llais siarad fy nhad yn un o'r rhai hyfrytaf i mi ei glywed erioed. 'Roedd yn soniarus, yn ddwfn, yn felodaidd ac yn bur. Roedd yna angerdd a chariad ynddo."

Dysgodd wers arall oddi wrtho hefyd, sef y syniad ei fod ef cystal ag unrhyw ddyn gwyn:

"Dyna oedd byrdwn neges fy nhad - peidio ildio. Yn nyddiau fy ieuenctid fe blannwyd y syniad hwn yn ddwfn ynof."

"Doedd llwyddiant ariannol ddim yn bwysig iddo. Yr hyn a fyddai'n sicrhau llwyddiant personol fyddai cyflawni eich potensial yn llawn."

Paul Robeson

The Princeton of Robeson's youth held little opportunity for young blacks. But Robeson's strong will was shaped by his father, a stern taskmaster dedicated to learning. He reviewed his son's lessons, encouraged him to sing in the church choir, and later to teach in Sunday School and preach from the pulpit.

Young Robeson took from his father a passion for learning, a drive for perfection, and an uncompromising integrity. He inherited something else too:

"My father had the greatest speaking voice I've ever heard ... a deep, sonorous basso, richly melodic and refined, vibrant with love and compassion."

And there was one more lesson to learn - that he was at least as good as any white man:

"That was the text of my father's life ... Unbending. Despite anything I was imbued with that concept from my youngest days."

"Success in life was not to be measured in terms of money and personal achievement, but rather the goal must be the richest and highest development of one's own potential."

Paul Robeson

Man geni Paul Robeson
Witherspoon Street, Princeton, New Jersey
Paul Robeson's birthplace
Witherspoon Street, Princeton, New Jersey

Yn yr Ysgol Uwchradd yn Somerville, New Jersey roedd Robeson yn fyfyriwr galluog a disglair. Dysgodd yn gynnar, fodd bynnag, er bod ei ddoniau yn cael eu cymeradwyo a'u parchu, doedden nhw ddim bob amser yn cael eu derbyn yn llawn. Byd oedd hwn lle 'roedd yna ffiniau pendant i gyraeddiadau a llwyddiannau pobl ddu eu crwyn. Fe gedwid at y ffiniau yn ddigyfaddawd.

Soniodd un o'i athrawon cynnar am ei ddisgybl enwog:

"Ef oedd y bachgen mwyaf rhyfeddol i mi ei ddysgu erioed. Serch hynny, ni allaf anghofio mai Negro ydyw."

Roedd Robeson yn fyfyriwr ac yn athletwr heb ei ail ac enillodd ysgoloriaeth y dalaith i fynd i Goleg Rutgers yn New Jersey yn 1915 er gwaetha'r ffaith fod prifathro rhagfarnllyd yr ysgol uwchradd wedi ceisio ymyrryd yn ei arholiad mynediad. Dywedodd Robeson yn ddiweddarach fod y profiad hwn wedi bod yn drobwynt yn ei fywyd.

Fe'i sicrhaodd ei hun yn y cyfnod cynnar hwn, hyd yn oed petai yn profi anghyfartaledd yn ei fywyd, na fyddai byth yn israddol.

Coleg bach, dethol oedd Rutgers a oedd yn denu myfyrwyr o deuluoedd aristocrataidd y De. Ef oedd y trydydd dyn o dras Affrican-Americanaidd i gael mynd yno.

Ni châi rannu ystafelloedd cysgu â'r myfyrwyr eraill. Gorfu iddo fyw gyda theulu yn ardal y bobl dduon yn New Brunswick.

In his Somerville New Jersey High School, Robeson was an outstanding student.

Robeson gyda'i gyfeillion yn Rutgers, 1917
Robeson with friends at Rutgers, 1917

But he learnt early that while his great talents could win him respect and applause, they did not bring full acceptance. This was a world where the boundaries to black success and achievement were rigidly drawn.

One of his early teachers was later moved to comment about his famous student:

"He is the most remarkable boy I have ever taught, a perfect prince. Still, I can't forget that he is a Negro."

An outstanding student and athlete, Robeson won a state scholarship to Rutgers College, New Jersey, in 1915, despite his bigoted high school principal's attempt to interfere with the qualifying examination. Robeson later defined this experience as a decisive point in his life.

He was convinced at this early age that even if he was denied equality he would never be inferior.

Rutgers was a small, distinguished college enrolling many students from Southern aristocratic families. He was only the third African-American ever admitted.

Excluded from the school dormitory, he lived with a family in the Black section of New Brunswick.

cyw arweinydd **a leader in the making**

dyddiau coleg the college years

Pêl-droed yng ngholeg Rutgers,1918
Rutgers College Football, 1918

"Pan fyddai rhywun yn ei ddyrnu, fyddai e ddim yn eu dyrnu nhw yn ôl ... Fe deimlai'r dicter a'r anghyfiawnder ond llwyddodd i'w cadw dan glust ei gap."

"When somebody punched him, he didn't punch back ... He felt the resentment but he managed to keep it under wraps."

Mab hyfforddwr Pêl-droed Coleg Rutgers
Son of the Rutgers College Football coach

Dyma gyfnod pan waherddid myfyrwyr du eu crwyn rhag dod yn aelodau o dimau coleg. Yn Rutgers, fodd bynnag, Robeson oedd y dyn Affrican-Americanaidd cyntaf i fod yn bencampwr ar y cae pêl-droed. 'Roedd yn rhagori wrth chwarae pêl-fâs, pêl-fasged ac ar y trac.

Ni fu'r daith i gael ei dderbyn yn un esmwyth, fodd bynnag.

Yn ei sesiwn ymarfer cyntaf, fe ymosodwyd arno'n ffiaidd gan ei chwaraewyr ei hunan. Doedden nhw ddim yn fodlon derbyn dyn du ei groen yn eu plith. Cafodd ei gleisio a'i anafu yn y fath fodd fel y torrwyd ei drwyn, ysigwyd ei ysgwydd a brifodd ei law dde.

"Roedd hi'n dipyn o sialens. 'Wyddwn i ddim a allwn gymryd rhagor o'r driniaeth."

At Rutgers, at a time when prejudice barred Black students from most college teams, Robeson became the first African-American to dominate sport on the football field. He also excelled in baseball, basketball and track.

His acceptance, however, was very hard won.

At his first football training session, he was savagely attacked by his own teammates, unwilling to accept a Black man in their midst. They left him with cuts and bruises, a broken nose, a sprained shoulder, and a damaged right hand:

"It was tough going. I didn't know whether I could take any more."

Robeson yn ymarfer pêl-droed, Coleg Rutgers / Robeson practising football, Rutgers College

Cofiodd am neges ei dad:

"Pan oeddwn allan ar y maes chwarae neu yn y dosbarth, nid y fi'n unig oedd yno. Roeddwn i'n cynrychioli nifer o fechgyn Negroaidd a oedd yn dymuno chwarae pêl-droed ac eisiau mynd i goleg ...

Roedd yn rhaid i mi ddangos fy mod i'n gallu ymdopi â'r driniaeth a gawn."

Yn y sgrym nesaf, fe sathrodd un chwaraewr yn fileinig ar ei law. 'Roedd Robeson wedi ei gynddeiriogi ac yn benderfynol o wneud safiad. Cododd gan estyn ei freichiau i ddal tri o'r chwaraewyr. Cafodd afael yn yr un oedd yn dal y bêl a'i godi i'r entrychion. 'Roedd Robeson yn chwe throedfedd a thair modfedd.

"Roeddwn i'n mynd i'w ddyrnu mor galed fel y byddwn wedi ei hollti yn ei hanner."

Ni ddioddefodd ymosodiadau tebyg wedyn oddi wrth y chwaraewyr yn ei dîm ei hun.

Serch hynny, parhaodd yr ymosodiadau gan y gwrthwyneb-wyr, yn enwedig felly y rhai hynny o'r De. Cofnodwyd y sylw hwn gan fab i hyfforddwr Rutgers:

"Fe fyddai pawb yn mynd ar ei ôl ef a defnydient amryw o ffyrdd i gyflawni eu nod. Byddent yn ei ddyrnu, ei brocio neu ei gicio. Deheuwyr oedd

swyddogion y gemau. Dioddefai gosfa'n aml ond anaml y câi ei anafu ac ni fyddai byth yn cael ei anfon o'r maes. Pan fyddai rhywun yn ei fwrw, ni fyddai'n ei fwrw yn ôl. 'Roedd e'n ddyn cydnerth, gwydn ... Fe deimlai'r dicter a'r anghyfiawnder ond llwyddodd i gadw'r teimladau dan glo."

Gwrthododd rhai colegau chwarae yn erbyn tîm a oedd yn cynnwys chwaraewr du ei groen. Hyd yn oed pan ddaeth yn seren y tîm, 'roedd ei locer wedi ei neilltuo oddi wrth y gweddill a phan fyddai'r tîm ar daith fe fyddai'n rhaid iddo ef aros mewn ystafell ar wahân.

Tîm pêl-fas Westfield
Westfield Baseball team

Tîm pêl-rwyd Coleg Rutgers, 1917
Rutgers College Basketball team, 1917

But he remembered his father's example:

"When I was out on a football field, or in a classroom, I was not there just on my own. I was the representative of a lot of Negro boys who wanted to play football, and wanted to go to college ...

I had to show I could take whatever was handed out."

In the next scrummage, a player brutally stamped on his hand. Robeson, enraged with pain, swept out the massive arms of his six foot three inch body, brought down three men, grabbed the ball carrier, and raised him over his head:

"I was going to smash him so hard to the ground that I'd break him right in two."

Robeson was never again roughed up by his own team mates.

His harsh treatment by opponents, however - especially those from the South - was recorded by the son of the Rutgers Coach:

"Everybody went after him, and they did it in many ways. You could gouge, you could punch, you could kick. The officials were Southern, and he took one hell of a beating, but he was never hurt. He was never out of a game for injuries.

He never got thrown off the field; when somebody punched him, he didn't punch back. He was just tough. He was big ... He felt the resentment but he managed to keep it under wraps."

Tîm pêl-rwyd Coleg Rutgers
Rutgers College Basketball team

Pêl-droed yng ngholeg Rutgers
Rutgers College Football

Some colleges refused to play against a team which included a Black player. And, even as he became the star of the team, his locker stood separate from the others, and he roomed alone when the team travelled.

Bu tad Robeson farw ym mis Mai 1918 yn 73 oed. Dridiau yn ddiweddarach fe anrhydeddodd y mab un o ddymuniadau olaf y tad. Enillodd gystadleuaeth siarad cyhoeddus o dan y teitl *Loyalty and the American Negro.*

Etholwyd ef oherwydd ei ragoriaeth ysgolheigaidd yn aelod o'r gymdeithas a elwid yn *Phi Beta Kappa.* Yn ei flwyddyn olaf yn Rutgers fe ddewiswyd ef, yn un o bedwar, fel y myfyriwr a gynrychiolai werthoedd yr ysgol orau.

Proffwydoliaeth ei ddosbarth graddio yn 1919 oedd y byddai'n Llywodraethwr talaith New Jersey erbyn 1940 ac yn arweinydd y bobl dduon yn yr Amerig.

Robeson's father died in May 1918 at the age of 73. Three days later, his son honoured one of his father's last wishes, and won a public speaking contest entitled *Loyalty and the American Negro.*

As a junior, he was elected to *Phi Beta Kappa* for his outstanding scholarship, and in his senior year was selected as one of four students who best represented the ideals of Rutgers.

It was the prophecy of his 1919 graduating class that he would be Governor of New Jersey by 1940 and a leader of the "colored race" in America.

Cymdeithas Penglog a Chap Coleg Rutgers
Rutgers College Skull and Cap Society

trefn y syngl *the law of the jungle*

Taboo / Voodoo, 1922

Yn 1920 fe aeth Paul Robeson i astudio'r Gyfraith yn Ysgol Columbia, Efrog Newydd. I gynnal ei hunan fe weithiai yn Swyddfa'r Post, yn canu, yn hyfforddi timau pêl fasged, yn chwarae pêl-droed proffesiynol ac yn actio.

Tra'n astudio'r Gyfraith fe ymddangosodd ar y llwyfan gyntaf yn *Simon the Cyrenian*. Ymddangosodd hefyd yn *Taboo* yn Efrog Newydd a gwnaeth ei siwrnai gyntaf ar draws yr Iwerydd i fynd â'r ddrama ar daith i Loegr (fe'i hailenwyd yn *Voodoo*).

Wrth chwarae rhan caethwas fe freuddwydiai Robeson am ei gyn fywyd yn yr Affrig.

"Wrth i mi ddechrau breuddwydio, roeddwn i fod i ganu *'Go Down Moses'*. Yn ystod y perfformiad fe'm synnwyd i glywed Mrs Pat [Patrick Campell, ei gyd-actores] **yn sibrwd o'r tu cefn i'r llwyfan ond yn ddigon uchel i'r theatr gyfan ei chlywed, *'Cân arall, cana gân arall!'* Felly fe ddeffrais yn sydyn a chanu cân Negroaidd arall.**

Yn y golygfeydd dramatig, dwys fe fyddai Mrs Pat yn fy mhrocio a dyna ni wedyn - bant â fi i ganu! ... roedd y gynulleidfa wrth eu bodd!"

Paul Robeson entered Columbia Law School in New York City in 1920, supporting himself by working in the Post Office, singing, coaching basketball teams, playing professional football, and acting.

While studying Law he made his first stage appearance in *Simon the Cyrenian*.

He also performed in *Taboo* in New York and made his first Atlantic crossing to tour the play in England (retitled here as *Voodoo*).

Playing a slave, Robeson dreamt of his former life in Africa:

"As I lapsed into my dream, I was meant to sing *'Go Down Moses'*. During the opening performance, I was startled to hear Mrs Pat [Patrick Campbell, his co-star] **whispering off-stage, for all the theatre to hear, *'Another song. Sing another song!'* So I woke up and sang another spiritual.**

In all my supposedly heavy dramatic scenes, Mrs Pat would nudge me, and off I'd go - singing! ... the audience seemed to love it!"

Dosbarth graddio Prifysgol Columbia / Columbia University Graduating Class, 1923

Yn Llundain fe gyfarfu â Lawrence Brown a oedd ei hun yn gerddor dawnus. Dyma'r dyn a fyddai'n cyfeilio ac yn trefnu ei gerddoriaeth ar hyd ei yrfa gerddorol.

Yn Awst 1921, priododd Robeson â Eslanda Cardozo Goode.

And in London, his future singing career was further developed by meeting Lawrence Brown, a fine musician, who would become his lifelong accompanist and arranger.

In August 1921, Robeson married Eslanda Cardozo Goode.

Eslanda a Paul Robeson
Eslanda and Paul Robeson

Wedi iddi raddio mewn Cemeg o Brifysgol Columbia fe weithiodd Eslanda yn Ysbyty'r Presbyteriaid fel cemegydd dadansoddol ym maes patholeg. Hi oedd y person cyntaf o dras Affrican-Americanaidd i wneud hyn. Ychydig flynyddoedd yn ddiweddarach fe ddaeth hi'n asiant ac yn rheolwr amser llawn i'w gŵr.

After graduation from Columbia University with a degree in chemistry, Eslanda worked at Presbyterian Hospital as the first African-American analytical chemist in pathology. A few years later, she became her husband's full-time manager and agent.

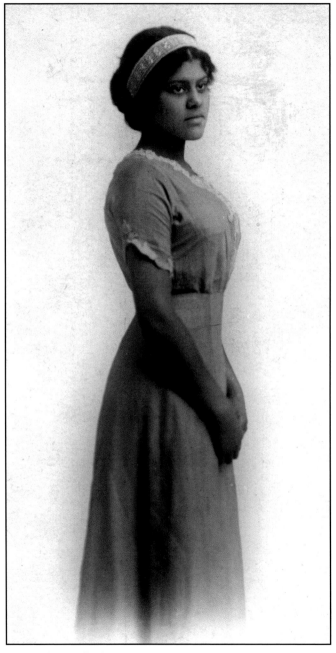

Eslanda Cardozo Goode

Derbyniodd Robeson radd yn y Gyfraith yn 1923, ond byr fu ei yrfa gyfreithiol. Cafodd ei gyflogi gan gwmni cyfreithiol gwyn. Ei waith oedd paratoi achosion gogyfer â'r llys. Roedd hi'n amhosibl i berson du ei groen gynrychioli pobl yn y llys yr adeg honno.

Un diwrnod fe wrthododd ysgrifenyddes gymryd nodiadau oddi wrtho oherwydd lliw ei groen. Cynddeiriogwyd Paul Robeson i'r fath raddau fel yr ymddiswyddodd a chefnodd ar fyd y gyfraith.

"Ym myd y gyfraith allwn i fyth fod wedi cyrraedd y brig. Allwn i byth bythoedd fod wedi dod yn Farnwr y Prif Lys. Ar y llwyfan, dim ond yr awyr oedd yn fy nghyfyngu."

Robeson obtained his Law degree in 1923, but this career was short. Employed by a white law firm, he was confined to researching briefs. It was impossible for a Black person to represent clients in court.

And when a white secretary refused to take dictation from him because of the colour of his skin, he decided to quit:

"In the law I could never reach the peak; I could never be a Supreme Court Judge. On the stage there was only the sky to hold me back."

Paul Robeson

yn chwilio'i lais ei hun *in search of a role*

camau cyntaf robeson ar y llwyfan   robeson's first steps onto the stage

"Beth sydd o'm blaen dydw i ddim yn sicr. Gwn, fodd bynnag, y daw yna ddramodwyr Negroaidd talentog i'r amlwg a chaf innau siawns i ddehongli eu dramâu. Mae angen newid byd y ddrama yn yr Amerig."

"What lies ahead I do not know. I am sure that there will come Negro playwrights of great power and I trust I shall have some part in interpreting that most interesting and much needed addition to the drama of America."

Paul Robeson

The Emperor Jones, *Provincetown Playhouse, 1924*

Roedd dinas Efrog Newydd yn yr 1920au yn fagwrfa i Ddadeni Harlem ac fe welid bri ar lenorion, beirdd ac artistiaid du eu crwyn.

Yn dilyn ei lwyddiant yn *Taboo / Voodoo* enillodd Robeson gryn ganmoliaeth yn 1924 am ei berfformiad yn y Provincetown Playhouse ym Mhentref Greenwich, Efrog Newydd. Roedd yn actio'r brif ran yn nrama Eugene O'Neill, *The Emperor Jones*. Galwodd y beirniad llenyddol Alexander Woollcott ef yn:

"ddyn ifanc ar gerdded. Dydy e ddim yn gwybod yn union i ble y mae'n mynd ond welais i neb yn fy mywyd sydd mor dawel, siŵr ei ffordd, yn gwybod yn ei hanfod ei fod yn mynd i rywle."

Pan orffennodd y perfformiad, **"fe'i llusgwyd o flaen y llen gan ddynion a gwragedd a gododd ar eu traed a chymeradwyo. Pan beidiodd y boen yn eu dwylo, defnyddient eu lleisiau gyddfol, crug i lefaru geiriau heb ystyr iddynt. 'Roeddynt yn cymeradwyo Robeson am ei gryfder emosiynol a'i actio gwych."**

New York Telegram a'r *Evening Mail*, Mai 7 1924

New York City in the early 1920s spawned the Harlem Renaissance, the heyday of Black writers, poets and artists.

Following his performance in *Taboo / Voodoo*, Robeson won acclaim at the Provincetown Playhouse in Greenwich Village, New York, in 1924 in the title role in Eugene O'Neill's play, *The Emperor Jones*. Critic Alexander Woollcott called him:

"A young man on his way. He doesn't know where he's going but I never in my life saw anyone so quietly sure, by some inner knowledge, that he was going somewhere."

When the performance was over he was **"dragged before the curtain by men and women who rose to their feet and applauded. When the ache in the arms stopped their hands, they used their voices, shouted meaningless words, gave hoarse, throaty cries. The ovation was for Robeson, for his emotional strength, for his superb acting."**

New York Telegram and *Evening Mail*, 7 May 1924

Serch hynny, fe brociodd drama arall gan Eugene O'Neill, *All God's Chillun Got Wings,* lawer o deimladau hiliol. Drama ydoedd am briodas rhwng dyn du ei groen a merch wen. Protestiodd Gwasg Hearst a'r Ku Klux Klan a derbyniwyd llythyrau bygythiol. Cafodd O'Neill lythyr yn dweud y byddai ei fab yn cael ei lofruddio.

Ceisiodd Robeson bortreadu profiadau pobl dduon mewn amryfal sefyllfaoedd a pheidio â bodloni ar ddarlunio'r darlun stereoteip o was neu ffŵl. Stori am lwyddiant a methiant bocsiwr du, Jack Johnson, oedd *Black Boy* (1926). Canmolwyd perfformiad Robeson er gwaetha gwendidau'r ddrama.

Drwy'i oes ceisiodd Robeson chwilio am ffyrdd lle y gallai roi llais i'w gredoau gwleidyddol yn ogystal â'i dalentau artistig. Gwelai fod modd iddo ddefnyddio'i ddoniau i gefnogi brwydrau'r bobl hynny a ddioddefai anghyfiawnder a gormes.

Wrth berfformio yn nramâu O'Neill, gallai Robeson fod yn lladmerydd yn erbyn pŵer, uchelgais a llygredigaeth (*The Emperor Jones*) a chodi ymwybyddiaeth pobl am briodasau rhwng pobl ddu a gwyn eu crwyn (*All God's Chillun Got Wings*).

Fe'i siomwyd yn aml, fodd bynnag, gan y sgriptiau a gynigiwyd iddo ac yn aml fe'i condemniwyd gan bobl o'r un hil ag ef am bortreadu delweddau negyddol ac ystrydebol.

However, there was a racist outcry against another of O'Neill's plays when *All God's Chillun Got Wings* depicted an inter-racial marriage. The Hearst Press and the Ku Klux Klan protests were mirrored by a barrage of hate mail, including death threats to the playwright's son.

Robeson struggled to portray strong and complex images of Black experience well beyond those of the servant or the buffoon. *Black Boy* (1926) was the story of the rise and fall of Black boxer, Jack Johnson. Despite the play's weaknesses, Robeson's reviews were laudatory.

Robeson strove throughout his life to find a medium in which to fuse his artistic talents and his political beliefs. He saw his gifts not as ends in themselves, but as instruments to support the struggles of the oppressed of the world.

In the challenging roles in O'Neill's plays, Robeson could address issues such as ambition, power and corruption (*The Emperor Jones*) and inter-racial marriage (*All God's Chillun Got Wings*).

But he was regularly disappointed by most of the scripts on offer to him and was often criticised by members of his own race for serving up negative or stereotypical images.

All God's Chillun Got Wings,
gyda Flora Robson, Llundain 1933
All God's Chillun Got Wings,
with Flora Robson, London 1933

er mwyn rhyddid neu gaethwasanaeth
for freedom or for slavery

robeson yr artist robeson the artist

King Solomon's Mines, 1937

"Mae'n rhaid i'r artist ymladd dros heddwch neu dros gaethwasanaeth. Fe wnes i fy newis. Doedd gen i mo'r dewis."

Paul Robeson

Cerddoriaeth oedd y cyfrwng a ddaeth â'r llwyddiant mwyaf i Robeson. Trodd y caneuon Negroaidd yr oedd mor gyfarwydd â hwy o fod yn ganeuon gwerin syml i fod yn ganeuon i'w canu ar lwyfannau mawr y byd. Roedd ei berfformiadau yn gynnil a'i ddehongliad ohonynt yn ysgytwol.

Yn *Show Boat* fe ddaeth o hyd i gân a fyddai'n dod yn anthem i filiynau o bobl.

Yn y theatr, golygai prinder cyfryngau addas i'w dalent mai rhannol oedd ei lwyddiant.

Ym Mawrth 1936, fe wnaeth beirniad yn yr *Evening Standard* y sylw hwn:

"Roedd Japhet wrth iddo chwilio am dad mor amddifad â Mr Paul Robeson yn chwilio am ddrama."

"The artist must elect to fight for freedom or for slavery. I have made my choice. I had no alternative."

Paul Robeson

Music brought Robeson his greatest success. His moving and perceptive performances of Negro spirituals and international folksongs transformed them from a second-class obscurity to the centre of the world's stage.

And in *Show Boat*, he found a song which was to become an anthem for millions.

In theatre, the lack of appropriate vehicles for his talents meant that success was always partial.

An *Evening Standard* critic, writing in March 1936, pointedly observed:

"Japhet in search of a father was not a more forlorn figure than Mr. Paul Robeson in search of a play."

27

Cafodd rôl ganolog yn *Othello*, serch hynny.

Fe berfformiodd y ddrama niferoedd o weithiau yn ystod ei yrfa. Roedd sgript gyfoethog Shakespeare yn galluogi Robeson i gyfryngu ei deimladau dwys am le'r du yn y byd gwyn. Ar y llwyfan fe gyfoethogwyd ei berfformiad gan ei lais pwerus, soniarus.

Mae'n bosibl mai yn ei yrfa ffilm yr oedd Robeson leiaf llwyddiannus wrth geisio portreadu darlun positif a realistig o'i bobl a'i ddaliadau gwleidyddol. *Proud Valley*, ffilm a wnaed yng Nghymru ac am ei phobl, oedd y ffilm yr oedd Paul Robeson fwyaf balch ohoni.

In *Othello*, however, Robeson found a prime role.

Reinterpreted throughout his long performing career, Shakespeare's rich script allowed Robeson to explore and express his more profound feelings about a Black race in a white world, enriched on stage by his powerfully resonant voice.

And while Robeson's film career was the least successful of all his attempts to create a realistic and positive portrayal of his people and his politics, *Proud Valley*, made in and about South Wales, is the film of which he was rightly most proud.

*Robeson gyda Uta Hagen, **Othello**, 1943*
*Robeson with Uta Hagen, **Othello**, 1943*

Robeson gyda Dudley Digges,
***The Emperor Jones**, 1933*
Robeson with Dudley Digges,
***The Emperor Jones**, 1933*

***Show Boat**, 1933*

fy arf yw fy nghân *my song is my weapon*

o *deep river* i *ol' man river* from *deep river* to *ol' man river*

Robeson gyda Lawrence Brown wrth y piano, 1930
Robeson with Lawrence Brown at the piano, 1930

Mewn cyngerdd yn Theatr Pentref Greenwich yn Efrog Newydd Ebrill 19, 1925 fe ganodd Robeson nifer o ganeuon Negroaidd a chaneuon seciwlar. Ei gyfeilydd oedd Lawrence Brown. Dyma'r tro cyntaf i'r caneuon hyn gael eu canu gan unawdydd ar lwyfan cyngerdd rhyngwladol.

Roedd y derbyniad yn anhygoel. Aeth Robeson ar daith ryngwladol yn 1926 a phob tocyn i'w gyngherddau wedi ei werthu.

Disgrifiodd Alexander Woollcott, beirniad y *New York World* ei lais fel

"yr offeryn cerdd gorau a greodd natur yn ein cyfnod ni ... Roedd cyngerdd neithiwr yn unigryw yn y ffaith mai dyma'r tro cyntaf i gynulleidfa glywed cerddoriaeth Negroaidd o'r dechrau hyd at y diwedd. Roedd pawb a oedd yno'n bresennol, o bosibl ... ar ryw fath o drobwynt - un o'r adegau prin hynny pan enir seren nad yw eto wedi disgleirio - ymddangosiad cyntaf o gyfoeth gwerin heb arlliw o ymddiheuriad na thaeogaeth ar ei gyfyl."

On 19 April 1925, at the Greenwich Village Theatre in New York, Robeson, accompanied by Lawrence Brown, sang a concert of Negro Spirituals and secular songs. It was the first time these songs had been presented by a soloist on a major concert stage.

The response was overwhelming. Robeson was launched on his first national tour in 1926, playing to sold-out audiences.

Critic Alexander Woollcott of the *New York World* described his newly-discovered voice as:

"the best musical instrument wrought by nature in our time ... All those who listened last night to the first concert in this country made entirely of Negro music ... may have been present at a turning point, one of those thin points of time in which a star is born and not yet visible - the first appearance of this folk wealth to be made without deference or apology."

Canai'r caethweision ganeuon Negroaidd wrth iddynt weithio mewn amgylchiadau enbydus yn yr Americas. Disgrifiodd yr hanesydd du, W.E.B. du Bois yr emynau Negroaidd hyn fel *"Caneuon galar, cri rhythmig y caethwas … mynegiad prydferth o'r profiad dynol … treigl y canrifoedd … llais yr alltud."*

Negro Spirituals are the songs the slaves sang while working in the harsh conditions of the Americas.

W.E.B. du Bois, the Black historian, described the Spiritual as *"Sorrow Songs, the rhythmic cry of the slave… the most beautiful expression of human experience… the siftings of centuries… the voice of exile".*

"Rydw i eisiau canu er mwyn dangos gogoniant caneuon gwerin a gwaith y Negro. Deilliodd y caneuon prydferth hyn o ganu syml ein pobl ostyngedig."

Paul Robeson

"I want to sing to show people the beauty of Negro folk songs and work songs. It is from the most humble of our people that the music now recognised as of abiding beauty has emanated."

Paul Robeson

'Roedd patrymau rhythmig cyfoethog yn y 'caneuon hiraethus' yma ac ynddynt hefyd yr oedd atgofion pobl a oedd, er nad yn llythrennog, yn bobl ddiwylliedig - pobl a rwystrwyd rhag lleisio eu teimladau. Gwaharddwyd hwy rhag cael offerynnau cerdd. Fe ganent er mwyn cael cyfathrebu mewn côd. Pwysigrwydd yr emynau Negroaidd hyn oedd eu bod yn gyfryngau i droi gobaith yn realaeth. Roedd neges a chri am ryddid ynghudd yn y geiriau.

Cyfeiriai *'Deep River'*, *'Down by the River'*, *'In the River of Jordan'*, *'Oh Wasn't That a Wide River'* at afon Ohio y byddai'n rhaid i'r caethweision ei chroesi i gael mynd ar eu hynt i'r gogledd; arwyddbyst ar gân oedd *'Steal Away'*, *'Show me the Way'*, *'The Rocks and the Mountains'*, *'There's a Meeting Here Tonight'*, *'We Shall Walk Through the Valley'*; ac mae'n debyg mai cyfeiriad at Harriet Tubman (*Sweet Harriet*) sydd yn y gân *'Swing Low Sweet Chariot'* ac arwydd iddi wybod fod yna grŵp o gaethweis-ion yn barod i dorri'n rhydd.

Roedd y meistri gwyn yn fodlon bod eu caethweision yn dawel ac yn hydrin a chaniateid iddynt ganu. Mewn gwirionedd, testun eu caneuon oedd protest a gwrthryfela yn erbyn y drefn. Fel yng Nghymru, fe âi cerddoriaeth a milwriaethu law yn llaw.

'Sorrow songs' carried rich rhythmic patterns, memories, events and stories for a pre-literate, though cultured people whose freedom of expression had been severely curtailed. Denied musical instruments, they sang to communicate in codes.

Spirituals were symbolic of turning hope into reality, their message of freedom hidden within the words.

'Deep River', *'Down by the River'*, *'In the River of Jordan'*, *'Oh Wasn't That A Wide River'* referred to the Ohio River which slaves had to cross on their way north; *'Steal Away'*, *'Show me the Way'*, *'The Rocks and the Mountains'*, *'There's a Meeting Here Tonight'*, *'We Shall Walk Through the Valley'*, were signposts through song; and *'Swing Low Sweet Chariot'* is now thought to be a reference to Harriet Tubman (*Sweet Harriet*) - a call-sign to let her know that a group of slaves were ready to flee.

White owners were content that their slaves were docile when singing, but they were singing of protest and rebellion. Music and militancy, as in Wales, was a strong partnership.

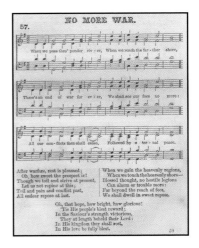

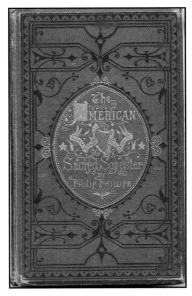

Paul Robeson gyda Chôr Meibion Unedig Cwm-bach, Cyngerdd Diwrnod Rhyddid y Trefedigaethau, Royal Festival Hall, Llundain, 17 Ebrill 1960
Paul Robeson with the Cwmbach United Male Choir, Colonial Freedom Day Concert, Royal Festival Hall, London, 17 April 1960

Show Boat, 1935-36

show boat

Cafodd Robeson lwyddiant ysgubol ym Mhrydain yn 1928 pan berfformiwyd *Show Boat* am y tro cyntaf yn Drury Lane. Chwaraeai Robeson ran Joe, caethwas yn un o'r planhigfeydd, ac roedd y perfformiad yn chwyldroadol. Yn *Show Boat* fe gefnodd ar draddodiad ysgafn y sioe gerdd a threiddio i fyd hanes yr Amerig. Roedd y cast o bobl ddu a gwyn eu crwyn yn canu mewn harmoni ac yn trafod themâu difrifol fel priodasau rhyng-hiliol, alcoholiaeth, pobl yn encilio a thlodi.

In 1928, Robeson took Britain's audiences by storm as plantation slave Joe in the Drury Lane premiere of *Show Boat*. *Show Boat* was revolutionary. It abandoned a light-hearted musical comedy tradition to traverse a great span of American history. It featured a Black and white cast singing in harmony, and explored the serious themes of interracial marriage, alcoholism, desertion and poverty.

Ysgrifennwyd anthem fythgofiadwy *Show Boat* yn arbennig ar ei gyfer gan Oscar Hammerstein II, sef *'Ol' Man River'*, a daethpwyd i gysylltu'r gân â pherfformiadau ysgytwol a charismatig Robeson. Dechreuodd Robeson drwy ganu'r geiriau gwreiddiol ond o dipyn i beth newidiwyd y geiriau. Gwelir newid pendant yn nhôn y geiriau. Trodd y geiriau:

"Tote that barge and lift that bale,
Git a little drunk and ya lands in jail,
I git weary and sick of tryin'
I'm tired of livin' and scared of dyin"

yn

"Tote that barge and lift that bale,
You show a little grit an'you lands in jail.
I must keep laughin' instead of cryin';
I must keep fightin'until I'm dyin'"

Show Boat's show-stopping anthem, *'Ol' Man River'* - written for him specially by Oscar Hammerstein II and Jerome Kern - became indelibly associated with Robeson's moving and charismatic performance. At first, Robeson sang the lyrics as written, but later he changed them:

"Tote that barge and lift that bale,
Git a little drunk and ya lands in jail,
I git weary and sick of tryin'
I'm tired of livin' and scared of dyin"

became

"Tote that barge and lift that bale,
You show a little grit an' you lands in jail.
I must keep laughin' instead of cryin';
I must keep fightin' until I'm dyin'."

Show Boat

Robeson gyda Lawrence Brown wrth y piano, eglwys Mother AME Zion, Harlem, Efrog Newydd
Robeson with Lawrence Brown at the piano, Mother AME Zion church, Harlem, New York

Wrth i ddirnadaeth Robeson o'r byd ehangu fe adlewyrchwyd hyn yn ehangder ei storfa o ganeuon. Cadwodd ati i berfformio caneuon Negroaidd ac ychwanegai at ei stoc o ganeuon gwerin yn barhaus am y teimlai mai dyma oedd y ffurf buraf i fynegi teimladau dyfnaf dynoliaeth. Fe'i galwodd hwy yn **"ffurfiau puraf o galon dynoliaeth"**

Nododd Milton Wolff, comander y Frigâd Ryngwladol, y geiriau hyn pan ganodd Paul Robeson yn Sbaen i gefnogi'r rhyfel Gweriniaethol yno:

"Daeth Paul Robeson i Sbaen dan ganu'r caneuon yr oeddem am eu clywed. Roeddem eisiau clywed Paul yn canu 'Old Man River', 'Water Boy', 'Lonesome Road', oherwydd roedd y caneuon yn agos iawn i'n calonnau ac yn ein hatgoffa ni o'n cartrefi. Daeth i Sbaen dan ganu 'Old Man River' a gadawodd Sbaen yn canu 'Freiheit!' ... cân wrth fodd calon Paul a chân a ganodd ym mhedwar ban byd ... 'Freiheit! Rhyddid!'"

unwaith mewn cenhedlaeth

" ... celfyddyd yr actor, y canwr, y bardd a'r proffwyd mewn un dyn ... Mae'n werth aros deng mlynedd i wrando ar lais fel hwn a dydy celfyddyd fel hon ond yn dod unwaith mewn cenhedlaeth."

Parhaodd Paul Robeson i ganu am hanner canrif a dyma'n anad dim a'i gwnaeth yn enwog. Defnyddiodd bŵer ei lais i hyrwyddo achosion oedd yn agos at ei galon, megis y frwydr am heddwch, am sosialaeth ac am gyfiawnder yn y byd. Canodd dros achos y Gweriniaethwyr yn Rhyfel Cartref Sbaen. Llwyddodd i hudo torfeydd yn Nwyrain Ewrop pan oedd y Rhyfel Oer yn ei anterth ac fe swynodd cynulleidfaoedd mewn neuaddau cyngerdd digon di-raen yr olwg ym Mhrydain, boed hynny yn Wrecsam neu yn y Rhondda.

Drwy ei ganu daeth caneuon Negroaidd yn hynod boblogaidd ond llwyddodd hefyd i dynnu sylw at draddodiadau gwerin y Rwsiaid, Y Slaf, Yr Iddewon a'r Celtiaid. Gwnaeth ymchwil helaeth i draddodiadau cerddorol gwledydd fel yr Affrig a Tsieina nad oeddynt yn cael eu gwerthfawrogi ar y pryd.

As Robeson's view of the world grew, so his musical repertoire became broader. He continued to champion Negro spirituals while constantly adding new folksongs, which he saw as being the *"purest expression of the heart of humanity"*.

Milton Wolff, an International Brigade commander, recalled when Robeson sang in Spain to support the Republican war effort:

"... Paul Robeson had come to Spain singing the songs we wanted, we needed to hear - 'Old Man River', 'Water Boy' 'Lonesome Road' - because then, the way Paul sang them, they were where our hearts were, at home. He had come singing 'Old Man River' and he left Spain singing 'Freiheit!' ... a song Paul took to his heart and carried around the world ... 'Freiheit! Freedom!'"

once in a generation

"... the art of the actor, the singer, the poet and the prophet in one ... A voice like this is worth waiting ten years to hear, and an art like this comes once in a generation."

Robeson's musical career spans fifty years and underlies all his other public achievements. His singing earned him enormous fame and he lent the power of his voice to struggles for peace, socialism and justice throughout the world. He sang for the Republican cause in the Spanish Civil War, to rapt crowds in Eastern Europe at the height of the Cold War, and to working people in shabby British concert-halls from Wrexham to the Rhondda, from Glasgow to Golders Green.

He popularised not only Negro spirituals but the folk traditions of the Russian, Slav, Jewish and Celtic peoples. He researched and drew attention to unappreciated musical traditions such as those of China and Africa.

gwnaf yn llawen am fy mod innau'n ddu

haply, for I am black

theatr robeson   robeson's theatre

Othello, 1943-45   *Ira Aldridge*

"Deuai Othello o ddiwylliant mawr, hynafol Fenis. Deuai ef o'r Affrig, gwlad a oedd yn gyffelyb o ran mawredd, a theimlai fel dyn wedi cael ei fradychu ... "

Paul Robeson

Cytunodd Robeson yn y flwyddyn 1930 i chwarae rhan *Othello* yn Theatr y Savoy yn Llundain. Ar y rhaglen fe welwyd llun yr actor Shakespearaidd du enwog, Ira Aldridge a fu'n actio yn y bedwaredd ganrif ar bymtheg. Roedd yntau fel Robeson wedi gadael hinsawdd gormesol yr UD i chwilio am ryddid ac am gyfleoedd i ddatblygu ei ddoniau.

Bu Ira Aldridge (1804-67) ar daith drwy Ewrop a chafodd gydnabyddiaeth am ei dalentau o Lundain i St Petersburg. Ymddangosodd nid yn unig yn *Othello* ond yn *Hamlet* a *King Lear*. Roedd diddymwyr yn defnyddio'i dalentau cynhenid fel dadl yn erbyn gorthrymu pobl dan system ormesol caethwasanaeth. Paratôdd Robeson ei hun i chwarae rhan *Othello* gyda help merch Aldridge, Amanda. Roedd hi'n hyfforddwr llais ac yn gyfansoddwr hefyd. Rhoddodd bâr o glustdlysau i Robeson a fu'n eiddo i'w thad pan fu yntau'n chwarae rhan *Othello* yn y flwyddyn 1865.

"Othello came from a culture as great as that of ancient Venice. He came from an Africa of equal stature, and he felt he was betrayed ..."

Paul Robeson

In 1930, Robeson agreed to play *Othello* at the Savoy Theatre in London. In the programme, he had included a picture of the great nineteenth century Black Shakespearean actor, Ira Aldridge, who, like Robeson, had left the oppressive climate of the US in search of greater liberty to develop his talents.

Ira Aldridge (1804-67) toured Europe, winning acclaim from London to St Petersburg, not only in *Othello*, but as *Hamlet* and *King Lear*.

Abolitionists held up his talents as an argument against the persecution of his people under slavery.

Robeson prepared *Othello* with help from Aldridge's daughter, Amanda, herself a voice coach and composer. She also passed on to him the earrings worn by her father while playing *Othello* in 1865.

37

newid rôl

Chwaraeodd Robeson ran *Othello* mewn tri chynhyrchiad o bwys yn ystod ei yrfa - yn Llundain yn 1930, Efrog Newydd yn 1943 ac yn Stratford-upon-Avon yn 1959. Roedd ei ddehongliad o'r rôl yn dibynnu llawer ar ei deimladau a'i brofiadau a'r newidiadau a deimlai yn ei fywyd. Yn Llundain yn 1930, dywedodd:

"Roedd bywyd i Othello yn Fenis yn debyg iawn i fywyd dyn du ei groen yn yr Amerig heddiw ... Mae Othello yn lladd, nid oherwydd casineb ond er mwyn cadw'i urddas. Nid yn unig y weithred o anffyddlon-deb a'i llethodd - fe ddifethwyd ei urddas fel bod dynol."

ar Broadway

Cafodd Robeson ugain munud o gymeradwyaeth pan agorodd cynhyrchiad o *Othello* ar Broadway yn Hydref 1943. Dau actor gweddol ddi-nod ar y pryd a chwaraeai rannau Desdemona a Iago, sef Uta Hagen a José Ferrer. Torrodd y cynhyrchiad bob record yn Efrog Newydd ac aeth y cast ar daith i 45 o ddinasoedd.

Yn ei sylwadau ar y cynhyrchiad gellir gweld yn glir agwedd falch Robeson tuag at ei gefndir a'i wreiddiau Affricanaidd. *"Mae Othello wedi lladd Desdemona. Oherwydd angerdd ffyrnig? Na. Hanai Othello o wlad a diwylliant a oedd gystal â Fenis hynafol bob tamaid. Deuai ef o'r Affrig, gwlad a oedd yn gyffelyb o ran mawredd, a theimlai fel dyn wedi cael ei fradychu ... "*

Cafodd glod a chanmoliaeth fawr am ei bortread o *Othello* ar Broadway: *"Treuliais nosweithiau ym myd ffantasi ond welais i ddim byd tebyg iddo."*

Robert Garland

a changing role

Paul Robeson was to play *Othello* in three major productions during his career: in London in 1930, New York in 1943 and finally at Stratford-upon-Avon in 1959. His interpretations of the role reflected his changing experiences. In London in 1930, he commented *"Othello in the Venice of that time was in practically the same position as a colored man in America today ... Othello kills not in hate but in honor. It wasn't just the act of infidelity - it was the destruction of himself as a human being, of his human dignity."*

on broadway

Paul Robeson opened in the Broadway production of *Othello* (October 1943) to twenty minutes of applause. Two then little-known artists, Uta Hagen and José Ferrer, played Desdemona and Iago. After a record-breaking New York run, the cast toured to 45 cities.

His comments on this production reflect his growing understanding of and respect for his African cultural roots: *"Othello has killed Desdemona. From savage passion? No. Othello came from a culture as great as that of ancient Venice. He came from an Africa of equal stature, and he felt he was betrayed ..."*

Robeson's Broadway *Othello* had enormous acclaim: **"In all my nights of attendance on the world of make-believe, there has been nothing to equal it."**

Robert Garland

Robeson gyda Mary Ure, Stratford-Upon-Avon, 1959
Robeson with Mary Ure, Stratford-Upon-Avon 1959

du a gwyn

Yn rhan gyntaf yr ugeinfed ganrif roedd gweld actor du ei groen yn chwarae rhan mewn drama gydag actores wen yn reit anghyffredin ond fe allai hefyd fod yn ymfflamychol. Rhybuddiwyd y cwmni actio o Lundain gan bapur newydd o daleithiau'r De rhag perfformio yno. **"Gŵyr ef yn iawn beth fydd yn digwydd fel y gŵyr y gweddill ohonom. Dydyn ni ddim am ddioddef y math hwn o ddifyrrwch nawr nac yn y dyfodol."** Yn Efrog Newydd, dair blynedd ar ddeg yn ddiweddarach fe yrrwyd iasau drwy'r gynulleidfa pan gusanodd Othello Desdemona. Canmolwyd y cynhyrchiad i'r cymylau nid am y perfformiadau yn unig ond am fod yna arwyddocâd arbennig i'r foment. Dywedodd un newyddiadurwr Sofietaidd; **"agorwyd drysau'r theatr Americanaidd i'r Negroaid."**

Er gwaetha'r geiriau canmoliaethus roedd Robeson yn dal i dderbyn llythyron atgas a gwrthodai rhai gwestai ym Mhrydain ac yn yr Amerig iddo aros o fewn eu muriau.

Perfformiad olaf Robeson o *Othello* oedd hwnnw yn Stratford-Upon-Avon yn 1959 lle yr ymddangosodd gyda Sam Wannamaker. Canmolwyd ei berfformiad cryf ac urddasol ond synhwyrodd y beirniaid rywsut fod y gŵr trigain oed a ymddangosai o'u blaenau yn flincdig a braidd yn fclancolaidd. Yn y cyfnod hwn dioddefodd nifer o afiechydon.

Ar y llwyfan, fodd bynnag, fe welid yr un Robeson - dyn a ddaeth yn symbol dros bobl a ormeswyd a dyn na ildiodd i bwysau gwleidyddol.

black and white

In the first half of the 20th century, the spectacle of a Black actor playing opposite a white actress remained powerful and potentially inflammatory. In the States, a Southern newspaper warned against the London production appearing there: **"He knows what will happen and so do the rest of us. This is one form of amusement that we will not stand for now or ever."** In New York, thirteen years later, the atmosphere was electric when Othello kissed his Desdemona. The production was acclaimed not just for the performances but, as a Soviet journalist put it, for the moment when **"the doors of the American theatre opened for the Negro people"**.

But despite these plaudits, Robeson still received hate mail, and hotels and restaurants in the US and in Britain continued to refuse him entry.

Robeson played his last *Othello* at Stratford-upon-Avon in 1959 alongside Sam Wanamaker. Critics applauded Robeson's strong and stately presence. But they saw too the performance of a sixty-year-old man, marked by a sense of melancholy and physical fatigue from recent illnesses. His onstage role, however, continued to reflect the inner Robeson, the man who had become a symbol of oppressed people, the man who had refused to bow down to political pressure.

Robeson gyda José Ferrer, 1943
Robeson with José Ferrer, 1943

Robeson gyda Peggy Ashcroft, 1930
Robeson with Peggy Ashcroft, 1930

theatr y bobl

"Fel pob gwir artist, rwyf wedi dyheu am weld y dydd y bydd fy nhalentau yn cyfrannu i gynorthwyo dynoliaeth."

Paul Robeson, Mehefin 24, 1937

Ar wahân i'r cymeriadau a chwaraeodd Robeson yn nramâu cynnar O'Neill, ni lwyddodd i gael rhannau a oedd yn gwir adlewyrchu'r hyn a gredai. Ystyriwyd *Black Boy* gan y wasg Ddu fel portread ystrydebol o ddyn du ei groen. Deng mlynedd yn ddiweddarach fe ddeallodd Robeson:

"Ni lwyddwyd i wir bortreadu'r sefyllfa. Allai'r Negro ynddi fyth ddweud yn union sut yr oedd yn byw ac yn teimlo. 'Fyddai'r gwynion yn y gynulleidfa fyth wedi dioddef y fath beth. Petaech chi'n cyfansoddi drama fyddai'n portreadu gwir fywyd y Negro, fyddai cynulleidfaoedd, yn yr Amerig beth bynnag, yn gwrthod gwrando arni."

Yn Llundain yn y flwyddyn 1935 fe chwaraeodd ran Bennaeth Affricanaidd yn *Basalik*. Yn y flwyddyn ganlynol fe oedd y prif actor yn y *Toussaint L'Ouverture*. Drama am wrthryfel caethweision Haiti yn y ddeunawfed ganrif ydoedd. Methiant fu'r ddwy ddrama i gyfleu darlun cryf ac adlewyrchu profiad cymhleth pobl ddu eu crwyn i gynulleidfaoedd aml-ddiwylliant. Cafodd ei ddadrithio ac fe'i siomwyd gan na

lwyddodd yn ei eiriau ei hun i *"bortreadu bywyd na rhoi llais i ddiddordebau, gobeithion a dyheadau pobl dan ormes - ei bobl ef."*

Dyma'r union reswm pam y gwrthododd gymryd rhan yn y West End ac yn lle hynny ymddangos yn nrama Ben Bengal yn yr Unity Theatre. Thema'r ddrama oedd yr ymdrech i drefnu undeb ymhlith gweithwyr.

"Wrth ymuno â'r Unity Theatre, llwyddais i fedru uniaethu â'r dosbarth gweithiol ... Fy newis oedd chwilio am rywle i weithio oedd yn gydnaws â'm credoau. Naill ai hyn neu beidio â gweithio o gwbl."

Yn y tridegau cynnar roedd diddordeb mawr gan bobl mewn theatr wleidyddol yma ym Mhrydain ac yn yr Unol Daleithiau. Dyma oedd cyfnod y Dirwasgiad, cyfnod o ddiweithdra, Gorymdeithiau Newyn a chynnwrf gwleidyddol. Roedd y Gweriniaethwyr yn brwydro yn Sbaen, Blackshirts Moseley yn protestio ar strydoedd Llundain a ffasgaeth ar gynnydd yn Ewrop. Ymateb Theatr Unity yn 1936 oedd ffurfio **"theatr y bobl a adeiladwyd er mwyn tynnu sylw at y brwydrau ym mywydau ei phobl. Ei bwriad oedd gwneud y bobl yn ymwybodol o'u cryfderau ac erfyn arnynt i weithredu gyda'i gilydd yn nerthol."**

Adnewyddwyd hen gapel yng ngogledd-orllewin Llundain er

mwyn llwyfannu dramâu gyda chast o amaturiaid i leisio barn ar faterion cymdeithasol a gwleidyddol.

a people's theatre

"Like every true artist, I have longed to see my talent contributing in an unmistakably clear manner to the cause of humanity."

Paul Robeson, 24 June 1937

Apart from Robeson's roles in the early O'Neill plays, he struggled to find vehicles to reflect his world view. *Black Boy* was seen by some in the Black press as a stereotypical portrayal of the Black man. Ten years later, Robeson realised:

"It didn't go to the lengths it might have done. The Negro couldn't say in it all that he really lived and felt. Why, the white people in the audience would never stand for it. Even if you were to write a Negro play that is truthful and intellectually honest, the audiences, in America at least, would never listen to it."

In 1935 in London, he played a stereotypical African chief in *Basalik*. The following year he took the lead in *Toussaint L'Ouverture*, a drama about the eighteenth-century Haitian slave revolt. Both plays failed to create strong and complex images of Black experience for multicultural audiences. These experiences led

him to lose hope of being able to *"portray the life or express the living interests, hopes and aspirations of the struggling people from whom I come."*

Which was why, in 1938, he turned down the West End to appear instead in Unity Theatre's strike play, *Plant in the Sun* by Ben Bengal.

"Joining Unity Theatre means identifying myself with the working-class ... it was a question of finding somewhere to work that would tie me up with the things I believed in, or stopping altogether."

Paul Robeson, *The Daily Worker*

The early thirties saw a great surge of interest in political theatre in Britain and the States, against the background of the political ferment of the Depression years: unemployment and Hunger Marches, the Republican struggle in Spain, the rise of Mosley's Blackshirts in Britain and of fascism in Europe. Unity responded in 1936 with **"a people's theatre, built to serve as a means of dramatising their lives and struggles, and as an aid in making them conscious of their strength and of the need for United action"**.

Unity's members converted an old chapel in north west London in order to stage plays with an amateur cast on social and political issues.

Yn *Plant in the Sun*, fe bortreadodd Robeson gymeriad o'r enw Pewee. Gweithiai mewn ffatri gwneud losin yn Efrog Newydd. Fe'i diswyddwyd am ei fod yn "siarad undebaeth" ond mae ei gyd weithwyr yn ei gefnogi ac yn llwyfannu streic i brotestio. Roedd yr ymdeimlad o frawdoliaeth yn gryf yn enaid Robeson fel y gwelir yn y dyfyniad hwn gan aelod o'r cwmni:

"Wrth i 'Plant' gael ei lwyfannu, fe brintiwyd amserlen yn enwi'r bobl a oedd i fod i sgubo'r ystafell wisgo ar ôl bob perfformiad. 'Doedd enw Paul ddim ar y rhestr ond pan welodd e fy mod i'n glanhau am yr ail noson o'r bron, fe ddywedodd wrthyf mai ei dro e oedd cyflawni'r orchwyl, doedd bosibl. Dywedais i, 'Mae'n iawn.' Dywedodd yntau, 'Gwaith tîm yw hwn. Rydyn ni'n gweithio fel tîm ar y llwyfan ac mae hynny yr un mor wir oddi ar y llwyfan.' Roedd e gymaint yn fwy na fi, felly fe roddais i'r brws iddo fe."

Wrth lwyfannu'r ddrama *Plant in the Sun* yr eginodd perthynas Robeson gyda chwmni Unity. Yn ddiweddarach fe ddaeth y theatr i'r adwy a'i gefnogi ef yn yr ymgyrch i gael ei basbort yn ôl. Daeth y gefnogaeth i benllanw pan wnaethpwyd darllediad traws Iwerydd i Neuadd St Pancras yn 1957.

In *Plant in the Sun*, Robeson played Pewee, a worker in a New York sweet factory. Sacked for 'talking union', Pewee is joined by his fellows in a sit-down strike.

Robeson's sense of brotherhood washed over into real life, as a company member later recalled:

"During the run of 'Plant' a roster was printed naming the different blokes who were to sweep up the dressing room after each performance. Paul's name was omitted - but when he saw me cleaning up two nights running he said it must be his turn. I said, 'That's alright.' He said, 'This is a team effort. We act as a team on the stage and that goes for the whole organisation.' He was much bigger than me, so I gave him the broom."

Plant in the Sun began Robeson's lifelong involvement with Unity.

The theatre later supported the campaign to get back his passport, culminating in a live trans-Atlantic broadcast to St Pancras Town Hall in 1957.

Plant in the Sun, 1938

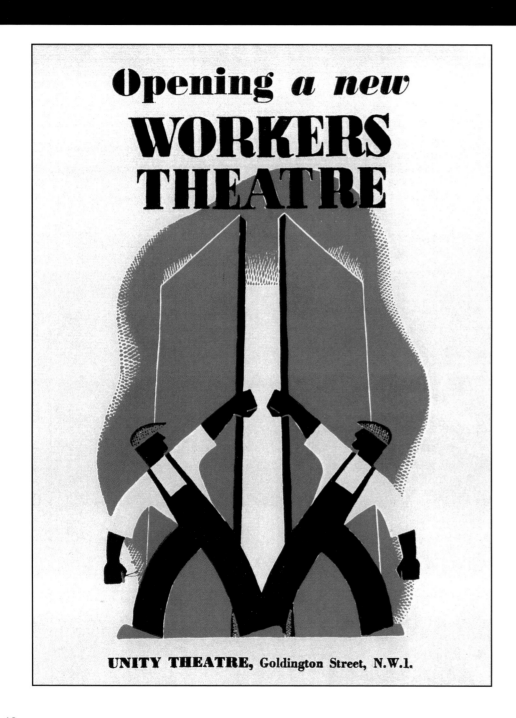

42

delweddau o'r affrig images of africa
sinema robeson robeson's cinema

"Yn fy ngherdd-oriaeth, yn fy ffilmiau ac yn fy nramâu, yr hyn sy'n ganolog yw teimlo fy mod i'n Affricanwr."

"In my music, my plays, my films, I want to carry always this central idea - to be African."

Paul Robeson

Sanders of the River, 1935

Drwy gyfrwng ffilm daeth miloedd o bobl i edmygu a dilyn gyrfa Robeson. Gallai'r cyfrwng hwn asio'i ddyheadau gwleidyddol gyda'i dalentau artistig. Ni wireddwyd dyheadau Robeson, fodd bynnag, drwy gyfrwng ffilm.

Drwy gydol ei yrfa bu'n rhaid i Paul Robeson, seren y swyddfa docynnau fodloni ar chwarae rhannau a chyfryngu syniadau pobl eraill. Y nhw mewn gwirionedd oedd yn rheoli'r sefyllfa.

Yn 1924 fe ymddangosodd Robeson yn ei ffilm gyntaf *Body and Soul*. Yn y ffilm fud hon fe ddarlunnir pregethwr sydd â dwy ochr i'w gymeriad. Ar un olwg mae'n gymeriad huawdl, yn gweithio'n galed ac yn egwyddorol. Mae'n ennill calon yr arwres ond mewn gwirionedd dihiryn ydyw yn gamblo, yn dwyn, yn cribddeilio, yn treisio ac yn llofruddio.

Yn *Borderline* (1930) fe ymddangosodd Paul ac Eslanda fel gŵr a gwraig ar y sgrîn. Ychydig o sylw mewn gwirionedd a gafodd y ffilm gan bod y stori yn wan. Serch hynny, dyma oedd un o'r ffilmiau cyntaf i drin pobl dduon fel pobl sensitif a galluog.

Robeson's cinematic appearances forged lasting bonds with the largest number of his fans and admirers and seemed to offer the greatest promise for blending his political aspirations with his artistic talents. In reality, however, his experience in film was the least fulfilling of the many outpourings of his various gifts.

It was a career blighted by the control of others in which Robeson, the box office star, almost always ended up playing a role supporting interests and ideas far removed from his own.

In 1924, Robeson appeared in his first film, the silent *Body And Soul*. He portrayed a magnetic preacher who moonlights as gambler, extortionist, seducer, thief and killer, as well as the serious, hardworking and moral young man who wins the heroine's affection.

In *Borderline* (1930), Paul and Eslanda appeared as husband and wife. Although the film went largely un-noticed and had a weak story line, it was one of the first movies to treat Blacks as sensitive and intelligent people.

43

the emperor jones

Mynnodd Eugene O'Neill mai Robeson fyddai'n chwarae'r rhan flaenllaw yn fersiwn ffilm *The Emperor Jones* (1933). Costiodd y cynhyrchiad chwarter miliwn o ddoleri ac fe ganmolwyd y ffilm gan y wasg fasnachol. Bu'r wasg ddu, fodd bynnag yn llym ei beirniadaeth o'r ffilm gan fod y gair 'nigger' a ddefnyddid ynddi yn atgyfnerthu ystrydebau a oedd yn bodoli eisoes. Fodd bynnag fe gymeradwyodd cynulleidfaoedd yn frwd iawn yn Theatr Roosevelt yn Harlem pan siaradai Robeson yn ymosodol â'r cymeriad gwyn yn y ddrama, Mr. Smithers.

Fe gorddodd *Native Land* y dyfroedd yn ogystal. Cyfarwyddwyd y rhaglen ddogfen ysgytwol hon gan Leo Hurwitz a Paul Strand a chyfansoddwyd y sgôr gerddorol gan Marc Blitzstein. Defnyddiwyd llais dwfn Robeson i lefaru yn y darnau naratif. Thema'r ffilm oedd hawliau rhyddid unigolion yn erbyn y Mesur Hawliau fel y datganwyd o flaen Pwyllgor Seneddol La Follette. Dechreuwyd ar y ffilm yn 1937 ond ni ryddhawyd hi tan fis Mai 1942.

"Does dim gwadu, mae'n brosiect gan Gomiwnyddion" - dyna oedd ymateb yr FBI.

the emperor jones

Eugene O'Neill insisted that Paul Robeson star in the film version of *The Emperor Jones* (1933). The production cost a big-budget quarter of a million dollars and the commercial press applauded the film. Some of the Black press criticised the film's use of the word 'nigger' which was felt to perpetuate the old stereotypes. Audiences at the Roosevelt Theatre in Harlem, however, applauded heartily when Robeson spoke up brashly to the white character, Mr. Smithers.

Native Land rattled other sensibilities. This moving full length documentary, directed by Leo Hurwitz and Paul Strand, with a score by Marc Blitzstein, used Robeson's wonderful speaking voice for its off-camera narration. It re-enacted civil liberty infringements against the Bill of Rights as revealed to the LaFollette Senate Committee. Begun in 1937, the film was not released until May 1942.

The FBI saw it as **"obviously a Communist project"**.

The Emperor Jones, 1933

NATIVE LAND
Leo Hurwitz
and Paul Strand

Sanders of the River, 1935

sanders of the river

"Mae'r ffilm yn fy nghyffroi i'n fawr. Am y tro cyntaf ers i fi ddechrau actio, rwy'n teimlo fy mod i wedi darganfod rhywbeth … fy mod i'n gallu cyfleu rhywbeth o'm diwylliant fy hun ac y gallaf, o bosibl, gynorthwyo i'w ddiogelu."

Paul Robeson 1935

Gobaith Robeson oedd y byddai *Sanders of the River* yn rhoi'r cyfle iddo bortreadu diwylliant a lliwiau'r Affrig ar eu gorau. Fel paratoad i'r ffilm anfonodd y brodyr Korda griw camera i'r Affrig i saethu dros un ar ddeg awr o ffilm yn darlunio llwythau brodorol yn eu cynefin gan ganolbwyntio ar yr anifeiliaid gwyllt a'r tirwedd. Roedd cymeriad Robeson, sef pennaeth y llwyth Bosambo, yn ymddangos yn gredadwy ac yn urddasol yn y sgript wreiddiol.

"You know this film is a very exciting thing for me. For the first time since I began acting, I feel that I've found … that there's something out of my own culture which I can express and perhaps help to preserve."

Paul Robeson 1935

Sanders of the River promised to bring African culture to the screen in the true colours and textures Robeson struggled to portray. The Korda brothers had shot eleven hours of film of African tribal culture, wildlife and landscape. Robeson's character, the African chief, Bosambo, seemed credible and dignified in the original script.

45

Pan ddaethpwyd i olygu'r ffilm, ychydig iawn o'r siotiau dogfennol a ddefnyddiwyd ac fe lyncwyd y realaeth gan y llinyn storïol imperialaidd. Roedd y sgript wedi ei hailysgrifennu a'r ffilm wedi ei hailsaethu.Trowyd y cyfanwaith yn *"emyn jingoistaidd i'r syniad o Ymerodraeth"*. (Dave Berry)

Gwelodd Robeson fod fersiwn terfynol y ffilm yn aruchelu rheolaeth drefedigaethol. Roedd y testun agoriadol yn gosod tôn y ffilm o'r cychwyn cyntaf:

"YR AFFRIG ... Degau o filoedd o frodorion yn cael eu rheoli gan reolaeth Prydain, pob llwyth â'i arweinydd ei hun, yn cael eu rheoli a'u hamddiffyn gan lond llaw o ddynion gwyn eu crwyn. 'Does neb wedi canu clodydd y bobl wynion hyn sydd yn gweithio'n ddiflino ac yn ddewr"

cân rhyddid

Roedd Robeson wedi ei siomi'n fawr gan *Sanders*. Wrth olygu fersiwn terfynol *Song of Freedom* (1936) fe fynnodd Robeson yr hawl i leisio ei farn ar y cynnwys. Yn ei dŷb ef dyma oedd y ffilm gyntaf i ddarlunio bywyd dyn du ei groen yn y Gorllewin. Bedair blynedd ar ddeg ar ôl i'r ffilm gael ei rhyddhau fe ddangoswyd hi yn Accra i ddathlu'r frwydr am annibyniaeth i'r Traeth Aur.

Fel paratoad i'r ffilm *King Solomon's Mines* (1937) fe ddysgodd Robeson Efik sef iaith De Ddwyrain Nigeria. Wrth i'r ffilmio fynd yn ei flaen, mynnodd Robeson wneud newidiadau i'r

sgript pan sylweddolodd fod y ffilm yn atgyfnerthu lluniau ystrydebol o Affricanwyr anwar. Yn anffodus darlun wedi ei lurgunio a gafwyd yn y ffilm hon fel yn y ffilm *Sanders*.

jericho

Yn y ffilm *Jericho* (1937) roedd Robeson yn portreadu milwr arwrol a galluog - rôl anarferol iawn i ddyn du ei groen. Lleolwyd y ffilm yn yr Aifft, yn agos iawn i'r Pyramidiau a rhoddodd gyfle i Robeson ymweld â gwlad ei gyndeidiau am y tro cyntaf ac i brofi eu diwylliant.

big fella

Ffilm 'deuluol' arall oedd hon lle'r ymddangosodd Eslanda a Lawrence Brown gyda Paul. Fe ffilmiwyd *Big Fella* yn Lloegr yn y flwyddyn 1938.

Ceir ynddi bortread radical o ddwy wraig ddu eu crwyn sy'n gymeriadau cryf iawn a charwriaeth rhwng pâr du eu crwyn. 'Fyddai testunau fel hyn ddim yn cael derbyniad yn niwydiant ffilm Hollywood.

Song of Freedom, 1936

In the event, very little of the documentary footage was used and reality was swamped by the imperialist storyline. The script had been rewritten and reshot, turning the film into *"a jingoistic hymn to Empire"*. (Dave Berry)

Robeson saw the final cut as pure glorification of colonial rule. Its opening text set the tone for all of what was to follow:

"AFRICA ... Tens of millions of natives under British rule, each tribe with its own chieftain, governed and protected by a handful of white men whose everyday work is an unsung saga of courage and efficiency"

song of freedom

Shattered by *Sanders*, Robeson demanded the right to approve the final editing of *Song of Freedom* (1936). He felt this was his first film to provide a true picture of the Black man in the West. Fourteen years after its release, the film was shown in Accra to celebrate the fight for Gold Coast independence.

Robeson was tutored in Efik, the language of SE Nigeria, for *King Solomon's Mines* (1937). As the movie progressed, Robeson urged script changes where it perpetuated the stereotype of savage Africans. Sadly, the final result had many of the same failings as *Sanders*.

jericho

In *Jericho* (1937), Robeson played an heroic and intelligent soldier, an unusual role for a Black man. The film, located in Egypt with shooting taking place right next to the Pyramids, offered Robeson his first opportunity to visit Africa and explore its culture first-hand.

big fella

Big Fella (1938) was another family affair made in England in which both Eslanda and Lawrence Brown appeared alongside Paul. Its radical portrayal of two strong Black women characters, and an honest romance between a Black couple, would have been impossible within the Hollywood film industry.

Big Fella, 1938

iselhau fy hun

"Rwyf wedi iselhau fy hun mewn ffilmiau ... Fe allwch fentro na chaf i byth ran mewn drama sydd yn portreadu Negro fel arwr."

Paul Robeson

Fe ymddangosodd Flora Robson gyda Robeson yn *Chillun* (1933) a dyma ei hatgofion am yr adwaith i *Sanders*:

"... roedd e'n gwisgo croen llewpard pan ddaeth un o Dywysogion yr Ashanti ato - roedd e yn Rhydychen ar y pryd. Dywedodd e wrth Paul, 'Pam yr wyt ti'n gwisgo croen llewpard?'

Atebodd Paul, 'Wel, beth yr y'ch chi'n ei wisgo yn yr Affrig? Siwtiau o frethyn?'

Dywedodd y Tywysog 'Ie. Dyna rydyn ni'n ei wisgo'.

Doedden nhw ddim yn ei hoffi. Doedden nhw ddim yn credu y dylai dyn dysgedig chwarae rhan dynion 'cyntefig' fel hyn."

Datganodd Paul Robeson yn yr Hydref 1937 y byddai'n ymddeol o fyd y ffilmiau. Roedd wedi anobeithio gweld llun real ac onest o ddyn du ei groen ar y sgrïn seliwloid.

some cheap turn

"Films make me into some cheap turn ... You bet they will never let me play a part in a film in which a Negro is on top."

Paul Robeson

Flora Robson, who co-starred with Robeson in *Chillun* (1933), recalled a revealing response to *Sanders*:

"... he wore a leopard skin and he was ticked off by a Prince of the Ashanti who was up at Oxford and said 'What do you wear a leopard skin for?'

So Paul said 'Well, what do you wear in Africa? Tweeds?'

And the Prince said 'Yes. We do.'

They didn't like him. They thought that as an educated man he shouldn't play these primitive parts."

Paul Robeson announced his retirement from movies in autumn 1937.

He despaired of ever seeing an honest celluloid representation of a Black man.

Jericho, 1937

Jericho, 1937

Rhyddhawyd Proud Valley yn yr UD dan y teitl The Tunnel
Proud Valley was released in the US as The Tunnel

***Proud Valley**, 1940*

proud valley

"... pan fûm i yng Nghymru fe gefais i'r fraint o glywed llanciau ifainc yn rhan-ganu'n soniarus ... Pan ymddangosais ar lwyfannau canu yng Nghymru, bu'r ymateb bob amser yn frwd, fel petai rhyw gadwyn gysylltiol, werthfawrogol rhyngom. Pan welais i'r sgript ... lleolir y ffilm mewn cwm glofaol, roeddwn i wrth fy modd ... Dyma stori am fywyd go iawn ... "

Ymddangosodd Paul Robeson yn *Proud Valley* yn y flwyddyn 1940 a dyma oedd ei ffilm olaf ym Mhrydain. Ynddi fe chwaraeai ran David Goliath. Roedd awdur y sgript, Jack Jones, yn gyn-löwr ac yn Gymro, ac yn wir fe ddaeth Robeson i drefi 'r Cymoedd i ffilmio. I Robeson, dyma un o'i ffilmiau gorau. Gallai uniaethu â'r dosbarth gweithiol Cymreig a bortreadwyd ynddi ac o ganlyniad i'r ffilm fe ddaeth Robeson yn ffigwr pwysig yma yng Nghymru.

"Dydy Proud Valley ddim yn diystyru erchyllterau bywyd a marwolaeth o dan y ddaear. Yn yr eisteddfod ... mae David yn talu teyrnged i'w gyfaill drwy ganu 'Deep River' mewn modd angerddol. Mewn ffilmiau Prydeinig, dyma un o'r golygfeydd mwyaf emosiynol a welwyd erioed."

Stephen Bourne

proud valley

"... when I have been in Wales, I have listened in amazement to the wonderful part-singing of youths ... When I myself have appeared on a concert platform in Wales, the Welsh have been most responsive, there appeared to be a real link of appreciation between us, and so when I saw the script ... with it's setting of mining life, I was delighted ... It is a true human story ..."

In 1940, Robeson portrayed David Goliath in *Proud Valley*, his final British film. With a script from Welsh writer and ex-miner, Jack Jones, and shot in valley towns, this was for Robeson the most important of his films, which both deepened his relationship with the Welsh working class and forged for all time their love for him.

"Proud Valley does not skirt around the grim horror of life - and death - underground. At the eisteddfod ... David pays tribute to his pal with a moving rendition of 'Deep River', one of the most emotional sequences ever seen in a British film."

Stephen Bourne

"Negro yw'r cymeriad canolog sydd yn dod i'r cwm o'r tu allan. Ar y dechrau, daw wyneb yn wyneb â rhagfarn ond o dipyn i beth, wrth i'r glowyr ddod i'w adnabod a deall ei fod yn barod i aberthu ei fywyd ei hun dros ei gyfaill, mae'n dod yn un ohonynt. Mae yma destun pregeth am frawdoliaeth dyn."

Daily Telegraph

Glastwreiddiwyd neges gymdeithasol flaengar y ffilm gan y bu'n rhaid newid y diweddglo radical. Roedd angen cynhyrchu cyflenwad di-dor o lo yn ystod y rhyfel a gorfu iddynt newid y rhan olaf. Erys *Proud Valley*, serch hynny, yn ffilm unigryw ymysg ffilmiau'r cyfnod. Ynddi ceir portread o weithiwr du ei groen sydd yn onest, yn ddynol ac yn cael ei barchu gan ei gyd-weithwyr.

Er iddo gael profiadau da yng Nghymru fe roddodd Robeson y ffidl yn y to a chefnodd ar fyd y ffilmiau yn 1942:

"Dydw i ddim yn barod i gysylltu fy hunan â sefydliad sydd yn anwybyddu realitisefydliad sydd yn barod i ddallu'r cyhoedd, i ddarlunio bywyd ffug a sefydliad sy'n diystyru'r grymoedd pwerus sydd ar gerdded yn y byd heddiw."

"The central figure is a Negro, and in the prejudice he meets, as a newcomer to the valley, his fellow miners' gradual surrender to his kindly tolerance and understanding, and his sacrifice of life for his friend, you may read a moving sermon on the brotherhood of man."

Daily Telegraph

The socially-progressive message was somewhat diluted by the necessity to change the more radical ending, due to the need for uninterrupted coal production during the war. However, *Proud Valley* remains virtually the only British film of this period to portray with an honest sympathy a Black working-class character.

Despite his experiences in Wales in *Proud Valley*, Robeson finally abandoned his movie career for good in 1942:

"I am no longer willing to identify myself with an organization that has no regard for reality - an organization that attempts to nullify public intelligence, falsify life and entirely ignore the many dynamic forces in the world today."

Proud Valley, 1940

Er gwaetha'r problemau a'r rhwystredigaethau a brofodd yn ei yrfa ffilm, fe lwyddodd Robeson i chwalu muriau a lledu'r ffordd i eraill a fyddai, maes o law, yn dilyn ôl ei droed.

Fe gydnabyddir ei ymdrechion i frwydro yn erbyn y system oedd ohoni:

"Gwelodd Paul Robeson, yn fwy amlwg nag unrhyw ffigwr arall, mai ei gyfrifoldeb personol ef oedd ceisio adeiladu pont rhwng ffilmiau 'hiliol' y geto a ffilmiau masnachol Hollywood. Mewn dwsin o ffilmiau ... ceisiodd greu cymeriadau du, cryf a oedd yn rhan annatod o'r plot , ac nid yn llawforynion i'r stori greiddiol wen yn unig.

Methodd, nid oherwydd diffyg ymdrech neu awydd ar ei ran ef ond oherwydd bod y byd ffilmiau masnachol mor geidwadol ac anhyblyg."

Thomas Cripps

Despite the problematic and ultimately frustrating nature of most of his film career, Robeson, as in all other aspects of his life, smashed the chains which freed the movement for those who came after him.

The importance of the struggles he made for Black film is now well recognised:

"More than any other single figure, Paul Robeson accepted as a personal responsibility the problem of bridging the gap between the 'race' movies of the ghettos and the commercial movies of Hollywood. In a dozen films ... he attempted to create strong black characters who provided important elements of plots rather than merely backgrounds for prominent white stories.

That he eventually failed is a testament to the intransigence of the system of commercial movies rather than a sign of his own lack of will or effort."

Thomas Cripps

Proud Valley, gyda Rachel Thomas, 1940
Proud Valley, with Rachel Thomas, 1940

"Dyma Seth yn siarad am y profiad o fod yn ddu. Pam, yn enw'r annwyl, ddyn, onid ydyn ni i gyd yn ddu ein crwyn o dan y ddaear?"

du yw lliw pob croen o dan y ddaear

all black down that pit

robeson yng nghymru   robeson in wales

"Here's Seth talking about him being Black. Why, damn and blast it man, aren't we all black down that pit?"

Proud Valley 1940

Proud Valley, *1940*

Yn Carnegie Hall, Efrog Newydd, mewn teyrnged i ddathlu canmlwyddiant ei eni fe adroddodd Whoopi Goldberg ac Ossie Davies hanes Robeson yn dod i gysylltiad â Chymry am y tro cyntaf:

"Un diwrnod yn ystod gaeaf caled 1929 pan oedd tlodi a diweithdra yn llethu gweithwyr Prydain, roedd e ar ei ffordd i gala ddathlu pan glywodd e gôr o lowyr Cymru yn canu mewn harmoni. Grŵp o lowyr o Dde Cymru oedden nhw yn canu wrth fartsio ar eu ffordd i Lundain i holi am help oddi wrth y llywodraeth. Wrth gerdded ar hyd y strydoedd fe fyddent yn canu i godi arian i gynnal eu hunain.

Heb feddwl ddwywaith, roedd Paul wedi ymuno â hwy gan ganu ar y ffordd.

In the moving centenary tribute held at New York's Carnegie Hall in 1998, the actors Whoopi Goldberg and Ossie Davis recalled the story of Robeson's first contact with the Welsh people:

"One day during the grim winter of 1929, when unemployment and desperate poverty stalked the British Isles, he was on his way to a gala affair when he heard the rich sound of a Welsh miners' choir. He had crossed the path of a group of miners from South Wales who were walking along the street at the kerbside and singing for money to sustain themselves. One of their signs said they had walked all the way from Wales to petition the government for help.

Without hesitation, Paul joined the group of singing miners, walking the streets with them and humming along.

Pan gyraeddasant adeilad mawr yn y dre' fe aeth Paul i ben y grisiau a chanu *'Ol' Man River'*, baledi poblogaidd ac emynau Negroaidd i'w gyfeillion newydd. I'r rhai hynny oedd yn bresennol, roedd yn brofiad bythgofiadwy.

Yn ddiweddarach, fe drefnodd eu bod wedi cael digon o gyfraniadau fel y gallent ddychwelyd i'w gwlad ar drên nwyddau. Roedd un o'r cerbydau yn llawn o fwyd a dillad i'r glowyr a'u teuluoedd yn ôl yng Nghwm Rhondda. Y flwyddyn honno aeth elw un o'i gyngherddau i Gronfa Les Glowyr Cymru ac ymwelodd â'r Rhondda yn bersonol i ganu i'r cymunedau glofaol a siarad â'r bobl yno."

When they reached one of the large downtown buildings, Paul mounted its front steps and sang to his new friends - *'Ol' Man River'*, popular ballads, and spirituals. To those who were there, it was an unforgettable experience.

Later, he organized enough contributions to provide them with a ride back on a freight train that included a carload of food and clothing for the miners of the Rhondda Valley and their families. That year he contributed the proceeds of one of his concerts to the Welsh Miners' Relief Fund and visited the Rhondda Valley in person to sing for the mining communities and to talk with the people."

Tocyn Caethwas, Charleston, UDA
Tocyn Lamp o Lofa Coegnant, De Cymru
Metal Slave Identification Tag, Charleston, USA
Metal Lamp Check from Coegnant Colliery, S Wales

cymuned o'r un anian

"Cymru - does yna unman gwell yn y byd gen i."

Paul Robeson, *Western Mail*
24 Chwefror 1949

Ers iddo gyfarfod y glowyr o Gymru ar hap a damwain fe deimlai Robeson dynfa gref at Gymru. Fe welai bod eu traddodiadau yn deillio o'r gymuned, o'r capel ac o fyd gwaith. Roedd eu traddodiadau cerddorol a pherfformiadol wedi eu gwreiddio mewn caledi a gormes.

Yn 1960 canodd gyda chôr Meibion Cwmbach mewn cyngerdd yn Neuadd Frenhinol y Festival Hall i ddathlu diwrnod Rhyddid Trefedigaethol. Roedd y côr hwnnw wedi ffurfio o ganlyniad i'r 'lockout' yn y gweithfeydd glo yn 1921. Deallodd Robeson y gallai diwylliant ac ymgyrch gael eu clymu ynghyd yn un cwlwm cadarn.

Teimlai Robeson y gellid cymharu gormes y bobl dduon yn yr Amerig â phrofiadau y glowyr yn nyffrynnoedd De Cymru. Roedd pobl eraill yn elwa o'u llafur caled. Roedd yn bwysig sefyll yn gadarn ar lefelau lleol a rhyngwladol yn erbyn gormes.

"Cymru ... lle y deellais am y tro cyntaf bod y gwyn a'r Negro yn ymladd gyda'i gilydd."

a kindred community

"There is no place in the world I like more than Wales."

Paul Robeson, *Western Mail*,
24 February 1949

From his first accidental meeting with Welsh miners, Robeson felt a strong affinity with Wales. He saw a culture built around the values of community, work and chapel; and a musical and performance tradition born out of struggle and oppression.

The Cwmbach Male Voice Choir, with whom he had sung in 1960 at a Movement for Colonial Freedom Concert in London's Royal Festival Hall, was formed as the result of the mining lockout of 1921.

He learned here that culture and struggle could be united to great effect.

Robeson felt the exploitative nature of Negro life in the United States had parallels with the coal miner's experience in South Wales. He learnt the importance of solidarity on both a local and international level.

"Wales ... where I first understood the struggle of white and Negro together ..."

Paul Robeson gyda Chôr Meibion Cwmbach mewn cyngerdd yn Neuadd Frenhinol y Festival Hall i ddathlu diwrnod Rhyddid Trefedigaethol, 17 Ebrill, 1960
Paul Robeson with the Cwmbach United Male Choir, Colonial Freedom Day Concert, Royal Festival Hall, London, 17 April, 1960

Pan ddaeth Robeson i Brydain yn 1922 i berfformio'r ddrama, *Voodoo*, fe gyfaddefodd, **"Fe ddeuthum yma heb fy llywio".** (cyfweliad i'r *Daily Worker*, 1960)

Rhwng y blynyddoedd 1927 ac 1939 bu Robeson ym Mhrydain. Datblygodd berthynas agos iawn â gweithwyr cyffredin, yn arbennig felly â glowyr De Cymru a fu'n help iddo ffurfio ei gredoau pwysig.

"Ym Mhrydain, gyda'r Saeson, yr Albanwyr, y Cymry a'r Gwyddelod y deuthum i i ddeall bod cymeriad cenedl yn cael ei llunio gan y werin bobl ac nid gan haenau uwch cymdeithas. Mae gwerin bobl pob cenedl yn frodyr i'w gilydd ac yn perthyn i deulu mawr dynoliaeth."

Paul Robeson, 1953

ymweliadau â Tiger Bay

Gŵyr llawer o bobl am ymweliadau Robeson â chymoedd De Cymru ond ychydig a wyddys am ei ymweliad â Tiger Bay. Yn gynnar yn 1949 fe ddaeth i Tiger Bay i gwrdd ag Aaron Mansell, a oedd gynt o Baltimore. Roedd yn gomiwnydd ac yn fab i gaethwas a lwyddodd i ddianc. Trip personol oedd hwn gan fod Mr Mansell yn ewythr yng nghyfraith i Robeson.

Tra oedd Robeson yn y tŷ, ymgasglodd torf o bobl y tu allan. Pobl leol oedd rhai ohonynt wedi eu gwisgo mewn gwisgoedd traddodiadol o'r Affrig - gwisgoedd a ddefnyddiwyd wrth ffilmio *Sanders of the River*. Somaliaid oedd y mwyafrif o'r dyrfa, gan gynnwys Mr Duallah. Gellir ei weld ar bwys Robeson yn y llun.

When Paul Robeson first visted these islands in 1922 for performances of the play, *Voodoo*, he admitted, **"I came here unshaped".** (*Daily Worker* interview, 1960)

From 1927 until 1939, Robeson was based in the UK where he developed his association with the British working-class and in particular with the miners of South Wales who helped to forge so many of his most important beliefs:

"It was in Britain - among the English, Scottish, Welsh and Irish people of that land - that I learned that the essential character of a nation is determined not by the upper classes, but by the common people, and that the common people of all nations are truly brothers in the great family of mankind."

Paul Robeson, 1953

robeson in tiger bay

Paul Robeson's visits to the South Wales valleys are legendary. Less well known is his visit, in early 1949, to Tiger Bay. The main purpose of the trip was a personal one - to meet with Aaron Mansell, formerly of Baltimore. The communist son of a runaway slave, Mr Mansell was Robeson's uncle-in-law. While Robeson was visiting the house, a crowd gathered outside. Perhaps some of them were locals who, dressed in traditional African costumes, had appeared with him in *Sanders of the River*. Many of those in the crowd were Somalis, including Mr Duallah, who can be seen next to Robeson in the photograph.

Mae Mary Neil yn cofio'r dydd yn iawn:

"Pan ddaeth Paul Robeson yma, wel dyna i chi oedd diwrnod cyffrous. Gwisgodd mam ei ffedog a buon ni'n polisho popeth - hyd yn oed y pasej ...

Ro'n i ar y grisie. Fe weles i e'n dod drwy ddrws y ffrynt ac fe glywes i ei lais e. (O! rodd llais bendigedig 'da fe)

Rodd y cymdogion allan o amgylch y drws ffrynt. Yna fe dda'th e mas o'r limosîn. (O! o'dd e'n ddyn golygus). Fe ddaeth un o'r merched oedd wedi cael rhan fach yn Sanders of the River lan ato fe gyda'i babi yn ei breichie a dweud, 'Mr Robeson, ydych chi'n fy nghofio i yn Sanders of the River?' Mewn llais dwfwn dwfwn, fe atebodd e, 'Wrth gwrs fy mod i, merch i.'

Ac yna fe a'th e drwy'r pasej. Roeddem ni i gyd wedi'n swyno. Yna fe gerddodd e mewn i 'ystafell Mr Mansell - rodd 'i ystafell e bob amser yn llawn o lyfrau. Fe arhoson nhw yno yn siarad am ryw awr ... "

cyfweliad rhŵng grŵp Hanes a Chelfyddydau Butetown (Glenn Jordan, Julia Young, Vera Johnson ac Olwen Watkins) a Mary Neil o'i chartref yn Rhymni, Chwefror 13, 2002.

Mary Neil recalls the day:

"When Paul Robeson came, oh, it was exciting. My mother put on a pinny. We polished the passage and everything ...

I was on the stairs. I watched him coming through the front door and I heard his voice. (Oh, he had a wonderful voice!)

All the neighbours were out around the front door. And then he got out of the limousine. (Oh, he was a fine figure of a man!) One of the girls who only had a little part in Sanders of the River came up to him with her baby in her arms. And she said, 'Mr Robeson, do you remember me in Sanders of the River?' And he said in a deep, deep voice, 'Indeed, I do, my dear. Indeed, I do.'

And then he went through the passage. We were all mesmerised. Then he walked into Mr Mansell's room - his room was always full of books - and they stayed there talking for about an hour ..."

from an interview with Mary Neil at her home in the Rumney area of Cardiff, conducted by members of Butetown History & Arts Centre: Glenn Jordan and Julia Young with Vera Johnson and Olwen Watkins, 13 February 2002

Sgwâr West Loudon, Butetown, Caerdydd
West Loudon Square, Butetown, Cardiff

Gwibdaith, Butetown, Caerdydd 1920au
Outing, Butetown, Cardiff 1920s

robeson yng ngogledd cymru

Ar nos Sul, Mawrth 25, 1934, trefnodd Clwb Cefnogwyr Pêl-droed Wrecsam gyngerdd mawreddog yn Sinema y Majestic yn Wrecsam er mwyn codi arian i gronfa Ambiwlans Sant Ioan. Roedd tua 2000 yn y gynulleidfa ac fe'u swynwyd gan raglen Robeson. Canodd gadwyn o alawon gwerin o bob rhan o'r byd. Roedd hwn yn ddatganiad pendant ac yn tanlinellu blaenoriaethau newydd Robeson ym myd gwleidyddiaeth ac ym myd diwylliant.

"Mae alawon gwerin yn ganeuon sylfaenol sy'n mynegi teimladau emosiynol, creiddiol yn ddigymell."

"Fydda i ddim yn cynnwys caneuon clasurol bellach yn fy nghyngherddau ... Dydw i ddim yn apelio at y crach nac at y werin yn benodol. Fy mwriad yw canu i bobl - canu caneuon oesol dynoliaeth, boed y rheiny'n llon neu'n lleddf. Drwy wneud hyn, yr wyf yn fy marn i, yn cyflwyno cerddoriaeth orau'r byd."

Cyfweliad Paul Robeson yn y *Wrexham Leader*, Mawrth 1934

robeson in north wales

On Sunday 25 March 1934, Wrexham FC Supporters' Club organised a grand gala concert by Paul Robeson at the Majestic Cinema in Wrexham in aid of the St John's Ambulance Association. Nearly 2000 people listened, mesmerised, to a programme made up entirely of folk songs of the world, in a bold statement of Robeson's new cultural and political priorities:

"Folk songs are the music of basic realities, the spontaneous expression by the people for the people of elemental emotions."

"Classical music shall play no further part in my programme ... I am appealing not to the highbrow and not to the lowbrow, but I am singing for all; in its joy and its pathos, the eternal music of common humanity. By doing so, I am presenting what I consider to be the truly great music of the world."

Paul Robeson interviewed in *The Wrexham Leader*, March 1934

His manner throughout had a charm of ingenuousness and simplicity which completely endeared him to his audience. In a man of his magnificent stature and physique these attributes might have appeared incongruous, but they were the very essentials of Robeson's art, and he used them to create a perfect atmosphere for the simple folk songs he interpreted.

Wrexham Leader

"Dyma oedd safle'r glöwr yn yr 1930au - wedi ei lethu'n lân ar ôl cael ei orchfygu yn 1926, roedd wedi ei garcharu mewn diwydiant oedd yn ymylu ar fod yn llwgr, roedd e ar drugaredd system reibus. Fe'i gondemniwyd gan baradocs creulon i grafu bywoliaeth a phan fyddai'n cael swydd o fath yn y byd roedd yn rhaid iddo gynhyrchu mwy a mwy o lo yr oedd llai a llai o alw amdano."

Stanley Williamson, *Gresffordd: the anatomy of a disaster.*

Roedd Paul Robeson yn perfformio yng Nghaernarfon ar y nos Sul, Medi 23, 1934 pan ddaeth y newyddion trist am drychineb Pwll Gresffordd. Ddiwrnod ynghynt, roedd tanchwa a ffrwydrad wedi saethu drwy ran o'r pwll a adwaenid fel Dennis ac wedi lladd 266 o lowyr. Roedd yn un o'r trasiedïau mwyaf yn hanes glofaol Cymru.

Bu'r ffrwydrad mor anferthol a'r tân mor ffyrnig fel y bu'n rhaid iddyn nhw selio'r pwll gan adael cyrff y meirw wedi eu claddu o dan y ddaear.

Gadawyd 160 o weddwon a thros 200 o blant amddifad. Ar glywed y newyddion am y drychineb fe gytunodd Robeson i gytrannu'r elw a wnaeth o'r cyngerdd i'r gronfa gymorth.

"This was the position of the miner as the 1930s unrolled: reduced to despair by the defeat of 1926, the prisoner of an industry in a state bordering on demoralisation, increasingly at the mercy of voracious machinery, and condemned by a cruel paradox to scrape a steadily deteriorating living, when he was lucky enough to have a job at all, by producing more and more of what appeared to be needed less and less."

Stanley Williamson, *Gresford: the anatomy of a disaster.*

On Sunday 23 September 1934, Paul Robeson was performing in Caernarfon when news of the tragic enormity of the Gresford Mine Disaster was relayed to the concert stage. On the morning of the previous day, an explosion and fire had ripped through the Dennis section of the mine, killing 266 miners in one of the greatest tragedies in the history of Welsh coal mining.

Such was the force of the explosion and the immensity of the fire that the pit was sealed off and the dead entombed forever where they lay.

On hearing of the news, Paul Robeson agreed to donate the whole of his concert fee to the relief fund for the 160 widows and over 200 orphaned children.

Cofeb a godwyd ym 1982 i'r glowyr a laddwyd yn nhrychineb Gresffordd
Memorial to dead Gresford miners, erected 1982

Darlun coffa gan Denise Bates, Eglwys Gresffordd, a ddadorchuddiwyd gan Archesgob Cymru, 22 Medi 1994
Memorial painting by Denise Bates, Gresford Church, unveiled by the Archbishop of Wales, 22 September 1994

Glowyr yn y Rhondda, 1910
Rhondda miners, 1910

Gwragedd a phlant yn casglu glo yn ystod streic y Cambrian Combine yn 1910-11
Wives and children collecting coal during the Cambrian Combine strike of 1910-11

Côr glowyr Cymreig Blaina Cymric gyda gweithwyr o'r Undeb Sofietaidd yn ystod eu taith i Rwsia yn 1926
Unemployed Blaina Cymric Welsh Miners Choir, with Soviet workers, tour of USSR 1926

Grŵp o lowyr o'r Rhondda, tua 1910
Group of Rhondda miners, c.1910

Disgwyl wrth ben y pwll, Gresffordd, 1934
Waiting at the pit head, Gresford, 1934

yr utgorn a seinia something like a trumpet call

cymru yn sbaen   wales in spain

Henry Dobson, Brigader Rhyngwladol a laddwyd yn Sbaen
Henry Dobson, International Brigader, killed in Spain

Ddiwedd 1936 roedd rhyfel ar droed yn Ewrop. Fel gweithwyr De Cymru, roedd Robeson yn cymharu'r frwydr yn erbyn Ffasgaeth Sbaen â brwydr y rheiny yn ei wlad ei hun a gwledydd drwy'r byd i gyd ble roedd Ffasgaeth yn dechrau egino a dod yn rym peryglus. Gwelodd Robeson fod ymrwymiad glowyr Cymreig i Sbaen yn gadarn a chafodd gynhaliaeth ganddyn nhw drwy gydol ei fywyd. Roedden nhw'n ei dderbyn i'w plith fel brawd:

"Pan es i ganu i Gymru ar ran y Sbaenwyr, fe'm croesawyd gan lowyr Cymru. Roedden nhw fel grŵp o bobl wedi rhoi eu cefnogaeth i fudiadau gwrth-ffasgaeth. Pwysleisiodd glowyr Cymru ... fod yna gyswllt amlycach rhyngom na'r frwydr gyffredinol i gadw democratiaeth rhag gelynion ffasgaidd. Roedd yna haenau cymdeithasol ynghlwm wrth y gwrthdaro hwnnw. Er fy mod i'n enwog ac yn gyfoethog, mae'r ffaith i mi gael fy ngeni i ddosbarth gweithiol yn profi fy mod i'n cael fy nerbyn yn y rhengoedd Llafur."

Paul Robeson

In late 1936, Europe lurched towards the Second World War. Like the Welsh working class, Robeson linked the fight against fascism in Spain with the struggle of those in his own country and countries throughout the world where fascism was dangerously nascent. He observed first-hand the passionate commitment of the Welsh miners to Spain and found sustenance throughout his life in their open and generous acceptance of him amongst their ranks:

"The miners of Wales, who gave great support to the anti-fascist movement, welcomed me when I came to sing in behalf of aid to Spain and invited me into their homes. The Welsh miners ... made it clear that there was a closer bond between us than the general struggle to preserve democracy from its fascist foes. At the heart of that conflict, they pointed out, was a class division, and although I was famous and wealthy, the fact was I came from a working-class people like themselves and therefore, they said, my place was with them in the ranks of Labor."

Paul Robeson

"Sloganau chwyldroadol ag enwau cyfarwydd arnynt yn lliwiau coch a melyn Mudiad y Gweithwyr a baner y cenhedloedd gwahanol o'n blaen ni... dyma symbolau undod cenedlaethol y bobl."

Aberdare Leader, 17 Rhagfyr 1938 yn cyfeirio at Gyfarfod Coffa yn Aberpennar. Roedd Paul Robeson yno.

Pan ddychwelodd y Brigadwyr Rhyngwladol yn ôl i Gymru ar ôl bod yn ymladd yn Sbaen fe drefnwyd cyfarfod yn y Pafiliwn, Aberpennar. Ei fwriad oedd cofáu'r rheiny na ddaeth yn ôl i'w cymunedau. Daeth tua 7,000 o bobl o Dde Cymru i'r cyfarfod. Uwchben y llwyfan roedd yna Restr Anrhydedd y Brigadwyr Rhyngwladol.

Martsiodd deg ar hugain o hynafgwyr y Brigadwyr fesul dau i fyny i'r llwyfan a thu ôl i faneri Cymru a Sbaen Weriniaethol. (*Aberdare Leader*, Rhagfyr 17 1938) *"bechgyn oedd rhai ohonyn nhw, bechgyn oedd wedi gweld erchylltra milwrio modern ac roedd llygaid rhai ohonynt wedi eu cymylu â thrasedïau nad âi'n angof."*

Dilynwyd hwy gan gant o bobl ddu eu crwyn, gwragedd a phlant o Gaerdydd a grŵp o blant o wlad y Basg a oedd yn aros mewn Cartref lleol. Symbol oedd hyn am y brawdgarwch a'r undeb a fodolai yn y byd rhyngwladol. Yn y rhyfel yn Sbaen, fodd bynnag, ni lwyddwyd i wireddu'r ddelfryd hon.

Nododd Arthur Horner, Cadeirydd Ffederasiwn Glowyr De Cymru yn ei araith:

"Dydy marw ddim yn arbennig neu'n bwysig, mae'n rhaid i bob un farw. Mae'n rhaid i ni godi'r cwestiwn: Dros beth y buont farw? ... Yn Ne Cymru, rydym yn byw i ennill rhyddid ac yr ydym yn benderfynol o ymladd amdano."

WELSH NATIONAL MEMORIAL MEETING

to the Men of the International Brigade from Wales who gave their lives in defence of Democracy in Spain

★

THE PAVILION, MOUNTAIN ASH
December 7th, 1938

★

PROGRAMME - TWOPENCE

Arnold Owen gyda baner y Weriniaeth. Bu farw ei frawd Frank yn Rhyfel Cartref Sbaen Arnold Owen whose brother Frank was killed in the Spanish Civil War, with Republican flag

"Revolutionary slogans and great names, fashioned in the red and yellow colours of the Workers' Movement, with the flags of different nations before us ... here is symbolised international solidarity of the people."

Aberdare Leader, 17 December 1938, on 7 December Memorial Meeting, Mountain Ash, attended by Paul Robeson

When the International Brigaders from Wales who had fought in Spain travelled back to their communities, a National Meeting was arranged in the Pavilion, Mountain Ash, on 7 December 1938 to commemorate the thirty-three men from Wales who had not returned. The meeting attracted some 7,000 people from all over South Wales. High above the platform was the Roll of Honour of the International Brigade.

Thirty International Brigade veterans **"some of them still mere boys whose eyes had seen all the bloody horror of modern warfare and become clouded by tragedy they will never forget"** (*Aberdare Leader*, 17 December 1938) marched two by two on to the platform behind the flags of Wales and Republican Spain.

They were followed by a hundred Black men, women and children from Cardiff and a group of Basque children from a local Home, symbolising the principles

of international solidarity which had been the prime objective and the main casualty of the war.

Arthur Horner, the President of the South Wales Miners' Federation, set the tone:

"To die is not remarkable or important, for all must die. The matter we have to concern ourselves with is: What did they die for? ... In South Wales, we have always lived for freedom, and are determined to fight for it."

Welsh National Memorial Meeting under the Chairmanship of :
Mr. A. L. HORNER
(President, South Wales Miners' Federation).

RHONDDA UNITY CHOIR
ENTRY OF THE MEMBERS OF THE INTERNATIONAL BRIGADE
Mr. A. L. HORNER
CYMMER (Porth) & DISTRICT JUVENILE CHOIR
Mr. GEORGE HALL, M.P., J.P.
THE JUVENILE CHOIR
THE VERY REV. A. S. DUNCAN-JONES
Dean of Chichester
PAUL ROBESON
Accompanied at the piano by LAURENCE BROWN
(Piano by courtesy of Victor Freed).
COLLECTION taken by MRS. ISOBEL BROWN.
THE JUVENILE CHOIR

The audience is asked to rise and stand in silence.
A member of the International Brigade will read a pledge.
After the pledge the audience is asked to remain standing.
The Rhondda Unity Choir will sing a short song.
All will join in singing "Cwmrhondda" and "Mae Hen Wlad Fy Nghadan."

Paul Robeson oedd y dewis naturiol i fod yn westai arbennig. Cyflwynwyd ef gan Horner fel *"pencampwr hawliau pobl wedi eu gormesu. Mae e'n un ohonyn nhw."*

"Rydw i wedi bod yn edrych ymlaen yn eiddgar i ddod i Gymru - fe wn i fod gen i ffrindiau yma. Rydw i yma heno ... oherwydd yn y frwydr i greu gwell bywyd, mae'n rhaid i'r artist wneud ei ran. Rydw i yma am fod fy nghyfeillion i wedi ymladd, nid yn unig dros Sbaen ond drosof fi a thros y byd i gyd. Mae'n ddyletswydd arnaf i fod yma."

Roedd ei effaith ar y dorf enfawr yn drydanol. Disgrifiodd Hywel Francis yn ei lyfr, *Miners Against Fascism: Wales and the Spanish Civil War* y digwyddiad fel *"noson wedi ei thanio ag emosiwn sydd yn crynhoi'r gefnogaeth a roddwyd i fudiad 'Cefnogi Sbaen' yng Nghymru dros y ddwy flynedd. Roedd y cyfarfod yn dangos mai achos cenedlaethol ydoedd ac roedd y frwydr yn Sbaen yn cynrych- ioli'r ffaith."*

Paul Robeson was the natural choice for guest of honour, introduced by Horner as *"a great champion of the rights of the oppressed people to whom he belongs"*:

"I have waited a long time to come down to Wales - because I know there are friends here. I am here tonight because ... I feel that in the struggle we are waging for a better life, an artist must do his part. I am here because I know these fellows fought not only for Spain but for me and the whole world. I feel it is my duty to be here."

His effect on the huge audience was enormous. Hywel Francis writing in his book, *Miners Against Fascism: Wales and the Spanish Civil War* described the event as *"an emotion-charged evening which encapsulates the broad support given to the 'Aid Spain' Movement in Wales for over two years. The gathering symbolised the cause of internationalism which the Spanish struggle represented."*

Poster o Ryfel Cartref Sbaen
Poster from the Spanish Civil War

"roeddech chi'n cael eich amgylchynu. Fe fyddai'n cipio pawb oddi mewn i'w ... chi'n gwybod, yn eich cynnwys yn gyfan ... roedd yn achlysur bendigedig. Dydy e ddim yn beth fyddech chi'n ei anghofio."

Tom Adlam,
Brigadydd Rhyngwladol
o'r Rhondda

"Rydw i wedi bod mewn amryw o gyfarfodydd yn ystod fy oes, ond mae'r cyfarfod hwn yn aros yn y cof fel un lle y teimlech fod yr holl gynulleidfa'n cefnogi Paul Robeson ac yn cytuno â'r hyn a ddywedai."

Annie Powell

".. you were surrounded by it. And it seemed to scoop everybody within its ... you know, embrace the lot .. It was a marvellous occasion. It's a thing you never forget really."

Tom Adlam,
International Brigader
from Rhondda

"I've been in hundreds of meetings in my life, but it stands out as being a meeting where you felt that the whole audience were with Paul Robeson and with what he was saying."

Annie Powell

Poster o Ryfel Cartref Sbaen
Poster from the Spanish Civil War

64

os byddwch chi'n caniatáu hyn
if you tolerate this

celfyddyd gwleidyddiaeth the art of politics

"Estynnaf fy nwylo allan dros y moroedd at bobl ddewr mewn amryw o wledydd - ar draws y ffin i America Ladin, i Neruda yn Chile, i bobl wrol Ciwba a Mecsico, i diroedd Asia ..."

Paul Robeson yn siarad yn Peace Arch Park ar y ffin rhwng yr UDA a Chanada yn 1953.

"I choose to stretch out my hands across the oceans to brave peoples of many lands - across the border to Latin America, to Neruda in Chile, to the brave people of Cuba and Mexico, to the lands of Asia ..."

Paul Robeson speaking at Peace Arch Park on the border between the USA and Canada, 1953

Poster o Ryfel Cartref Sbaen
Poster from the Spanish Civil War

Yn y flwyddyn y cyfarfu Robeson gyntaf â gweithwyr di-waith o Dde Cymru fe roddodd elw cyngherddau i Gronfa Les y Glowyr Cymreig. Yn yr union yr un flwyddyn fe ymwelodd â'r Rhondda i ganu i'r cymunedau glofaol gan ymweld â Chartref Adferiad y Glowyr yn Nhalygarn.

Yn Awst 1933, ar ôl gweld yr Iddewon yn dianc rhag crafangau Hitler, perfformiodd Robeson *All God's Chillun Got Wings* mewn cyngerdd er eu lles.

Wrth basio drwy Berlin yn 1934 ar ei ffordd i Moscow am y tro cyntaf fe brofodd Robeson yn bersonol beth a olygai hiliaeth yr Almaen Ffasgaidd. Wrth gael ei ddilyn drwy strydoedd Berlin gan filwyr Natsïaidd fe gafodd flas ar yr erchyllterau a oedd yn rhan o fywyd ei gyfeillion Iddewig.

Roedd hwn yn drobwynt sicr ym mywyd Robeson:

"Doeddwn i ddim wedi ystyried beth oedd Ffasgaeth cyn hyn. Ble bynnag y caf afael arno fe ymladdaf yn ei erbyn."

In the year Robeson first met the unemployed miners from South Wales, he donated concert proceeds to the Welsh Miners' Relief Fund. In that same 1929, he visited the Rhondda to sing for the mining communities, also making a trip to the Talygarn Miners' Rest Home.

In August 1933, seeing the plight of Jews fleeing from Hitler, Robeson gave a benefit performance of *All God's Chillun Got Wings*.

But on passing through Berlin in 1934, on his first trip to Moscow, Robeson felt at first hand the racism of fascist Germany. Followed through the streets of Berlin by Nazi soldiers, he tasted a little of the horrors engulfing his Jewish friends.

This was a major turning point in Robeson's life:

"I never understood what fascism was before. I'll fight it wherever I find it from now on."

Robeson yn canu i filwyr y Teyrngarwyr yn Sbaen, 1938 / Robeson singing to the Loyalist troops in Spain, 1938

Yn hollol groes i'w brofiadau yn yr Almaen, fe syfrdanwyd Robeson gan y croeso a gafodd yn Rwsia. Gwelodd fod lleiafrifoedd ethnig yn cael eu cydnabod yno ac er iddo weld creulondeb Stalin fe deimlodd fod Rwsia yn rhydd o fygythiad Ffasgaeth ac ymelwad trefedigaethol:

"Rydw i'n teimlo fel dyn yma am y tro cyntaf yn fy hanes. Dim Negro ydwyf ond dyn ... Yma, am y tro cyntaf rwy'n cerdded gydag urddas. Does gennych chi ddim syniad beth mae hyn yn ei olygu i mi fel Negro."

Roedd ganddo gymaint o barch i system Rwsia fel yr anfonodd ei fab naw mlwydd oed i'r ysgol ym Moscow i brofi system oedd yn rhydd o hiliaeth.

Er ei fod yn wyliadwrus rhag bwydo rhagfarn pobl yn erbyn y Rwsiaid pan oedd yn yr UD, roedd yn feirniadol o system Rwsia. Mewn cyngerdd ym Moscow yn 1949 - cyfnod gwrth Zionaidd lle câi artistiaid, llenorion a chyfar-wyddwyr eu carcharu neu ddiflannu o wyneb y ddaear, fe ddangosodd Robeson ei gariad tuag at ei gyfeillion o ddiwylliant Rwsiaidd-Iddewig. Canodd gân o Getto Warsaw yn yr iaith Iddew-Almeinig. Yn Warsaw ei hunan, er gwaetha gwaharddiadau'r Comiwnyddion, fe ganodd yn Rwsieg, ym Mhwyleg ac yn yr iaith Iddew-Almeinig.

In sharp contrast, Robeson was overwhelmed by his Russian welcome. Viewing there the rapid progress of ethnic minorities - and despite his perception of Stalinist cruelty - he aligned himself with the Soviet Union against what he saw as the far greater menace of fascism and colonial exploitation:

"I feel like a human being for the first time since I grew up. Here I am not a Negro but a human being ... Here, for the first time in my life I walk in full human dignity. You cannot imagine what that means to me as a Negro."

Such was his respect for USSR progress that he sent his nine-year-old son to school in Moscow to experience an environment free of racism.

However, although in the US he took care not to feed anti-Soviet prejudice and hysteria, his support of the Soviet Union was not uncritical. In a 1949 Moscow concert, during an anti-Zionist campaign which saw artists, writers and directors imprisoned or missing, Robeson affirmed his love for Russian-Jewish culture and friends. He ended by singing in Yiddish a Warsaw Ghetto resistance song. And in Warsaw itself, despite Communist prohibition, he sang again in Polish, Russian and Yiddish.

Robeson yn nathliadau 150 mlynedd geni'r bardd Rwsiaidd, Pushkin, ym Moscow, 1949
Robeson at the 150th anniversary of the birth of the Russian poet Pushkin, Moscow, 1949

Robeson gyda Paul Jnr., Kislovodsk, Rwsia, 1937
Robeson with Paul Jnr., Kislovodsk, USSR, 1937

dim pasaran !

Yn Neuadd Albert, yn 1937, mewn cyfarfod i gefnogi llywodraeth ddemocrataidd yn Sbaen dywedodd Robeson wrth y gynulleidfa:

"Mae'n rhaid i'r artist gymryd ochr. Mae'n rhaid iddo ymladd dros ryddid neu dros gaethwasanaeth. Fe wnes i fy newis ... "

Yn y flwyddyn ganlynol fe ganodd mewn ardaloedd o Sbaen a oedd wedi dioddef o ganlyniad i'r rhyfel. Cyfeiliodd Eslanda iddo. Aethant i ymweld â Bridigwyr yn yr ysbytai ac yn eu barics gan ganu'n aml iddynt yn eu hiaith eu hunain. Ar flaen y gad fe fyddai uchelseinyddion yn seinio ei ganeuon nes y gallai'r milwyr Ffasgaidd yn ogystal â'r milwyr teyrngarol glywed ei lais:

"Roedd e yna ynghanol dinistr rhyfel yn canu i ni. Y funud y stopiodd e ganu fe allem glywed y bwledi unwaith yn rhagor, y bomiau, y sieliau a phob peth sy'n perthyn i ryfela."

Lance Rogers
Brigadydd Rhyngwladol Merthyr

no pasaran !

In 1937, Robeson bared his convictions to an Albert Hall audience gathered in support of democratic government in Spain:

"The artist must take sides. He must elect to fight for freedom or slavery. I have made my choice ..."

The following year, accompanied by Eslanda, he put words into action and sang in the war-torn areas in Spain. They visited International Brigaders in hospitals and in their barracks, often singing in their own languages. At the Front, loudspeakers would broadcast his songs to the Fascists as well as the Loyalist soldiers:

"There he was in the midst of destruction and war, singing to us, and the moment he stopped singing, we would hear once again the bullets, the bombs, the shells and all the appurtenances of war."

Lance Rogers
Merthyr International Brigader

Robeson gyda milwyr UDA, Brigâd Rhyngwladol, Sbaen, 1938
Robeson with US soldiers, International Brigade, Spain, 1938

Roedd celfyddyd a gwleidyddiaeth Robeson erbyn hyn yn gwau trwy'i gilydd ac ni ellid mo'u gwahanu.

Pan welai Robeson filwyr du eu crwyn yn ymladd law yn llaw â milwyr o genhedloedd eraill yn unedig yn erbyn Ffasgaeth, fe'i hatgoffid o'i bobl ef ei hun yn dioddef gorthrwm a chaledi.

"Fe ddylai pobl ddu eu crwyn sydd yn dlawd, heb eiddo a heb eu rhyddfreinio, ddiystyru llawer o'r penawdau a geir yn y wasg am Sbaen a chofio un gwirionedd: rhyfel yw hwn rhwng Sbaenwyr tlawd, heb eiddo a heb eu rhyddfreinio a byddin sydd yn cael ei rheoli gan bobl sydd eisiau cadw'r Sbaenwyr yn dlawd, heb eiddo a heb eu rhyddfreinio ..."

Robeson's art and politics were now inextricably joined.

Robeson connected the Republican cause with the experience of his own oppressed people at home, when he saw Black men fighting alongside volunteer soldiers from many other nations, united against fascism:

"Colored people, who are poor, landless and disenfranchised, should cut through all the headlines about Spain and remember only this truth: the war is between the Spanish people, poor, landless and disenfranchised, and the army which is controlled by those who want to keep the Spanish people poor, landless and disenfranchised ..."

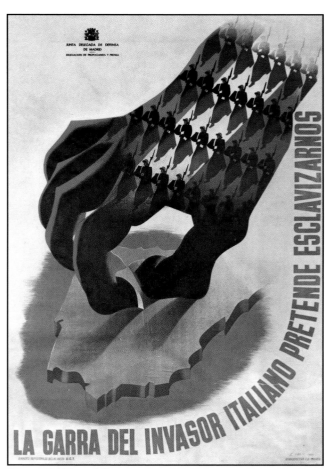

Poster o Ryfel Cartref Sbaen
Poster from the Spanish Civil War

darganfod yr affrig *the discovery of africa*

"Mae rhythmau'r Affrig yn llifo ym mhob dyn du; ceir amrywiadau ar y rhythm yn yr Amerig, yn y Caribî, yn Ne America, ond yn y bôn, sylfaen yr amrywiadau hyn yw'r Affrig."

"In every black man flows the rhythm of Africa; it has taken different forms in America, in the Caribbean, in South America, but the base of all these expressions is Africa."

Paul Robeson

Jericho, 1937

"Un diwrnod, fe aeth Robeson, Wilcoxon a Wallace Ford, un arall o sêr y ffilm [Jericho] i Byramid Mawr Giza. Gyda chymorth tywysydd, fe aethon nhw drwy siambr y Brenin yng nghanol geometrig y pyramid. Goleuid eu llwybr, bob yn gan llath, gan fwlb gwan.

Y tu mewn i'r pyramid, sylweddolwyd bod yna 'atsain anhygoel' yno. Awgrymodd Wilcoxon fod Robeson yn ceisio canu. Bu bron i'r lle 'ddadfeilio' ar glywed y nodyn cyntaf. Canodd Robeson driawd o nodau ac 'fe ddaeth cord organ anferthol yn ôl o rywle - yr un mwyaf a glywsoch erioed. Roedd yn fyddarol! Yna, heb rybudd, canodd Robeson 'O Isis und Osiris' o'r Ffliwt Hudol ... Pan orffennodd ganu a phan diflannodd y datseinedd yn llwyr ... Roeddwn i a'r tywysydd yn wylo. Roedd Wally Ford, bendith arno, a fyddai'n gwneud dim byd ran amlaf ond chwerthin, yn wylo hefyd ac yr oedd Paul yn wylo ... Wnaeth neb anadlu am gyfnod rhag torri hud y foment.'"

"One day Robeson, Wilcoxon, and Wallace Ford, another of the film [Jericho]'s stars, inspected the Great Pyramid of Giza. With the help of a dragoman, they worked their way into the King's chamber at the geometric center of the pyramid, their path lit every hundred feet or so by a low-watt bulb.

Inside the chamber they discovered 'the most incredible echo' and Wilcoxon got the idea that Robeson should try singing. The first note 'almost crumbled the place', as Wilcoxon remembers, and when Paul followed with a triad, 'back came the most gigantic organ chord you have ever heard in your life. This was Paul Robeson plus!' Then, 'without any cue from anybody Paul started to sing "O Isis und Osiris" from *The Magic Flute* ... When he finished and the last reverberation had gone away ... I was crying, the dragoman was crying, Wally Ford, bless his heart, who was usually doing nothing but laugh, he was crying, and Paul was crying ... And we almost daren't breathe to break the spell of the thing.'"

71

Yn yr Amerig, prin oedd yr wybodaeth am yr Affrig ond ym Mhrydain, ei gartref newydd dros dro roedd presenoldeb y cyfandir hwn ym mhobman. Astudiodd Robeson ieithoedd a diwylliannau yr Affrig gydag angerdd. Deallodd mai'r un oedd y rhythmau a'r goslefau â'r rhai hynny yng nghymunedau Du ei ieuenctid. Yng Ngwlad Pwyl fe ddarganfu fod melodïau Canolbarth yr Affrig wedi dylanwadu ar gerddoriaeth Ewropeaidd. Bu'n genhadaeth ganddo i gyflwyno caneuon Negroaidd i gynulleidfaoedd Ewropeaidd.

Erbyn yr 1930au, roedd Robeson wedi cyfarfod ag arweinwyr a fyddai, maes o law, yn dod yn arweinwyr yn yr Affrig, sef Nnamdi Azikiwe, Jomo Kenyatta a Kwame Nkrumah. Roedd yn fwriad ganddo i deithio'n helaeth drwy'r Affrig a setlo i fyw yno'n barhaol. Ni wireddwyd y naill freuddwyd na'r llall: **"Fy mhobl i ydyn nhw ac fe fyddwn i wedyn ar dir fy nghynefin. Rydw i bob amser yn unig ymysg pobl wyn eu crwyn."**

Ar y dechrau fe bwysleisiodd Robeson fod yna *"ymwybyddiaeth o'r ysbryd mewnol"* yn natur yr Affricanwr. Yn ddiweddarach fe ddaeth i ymestyn y syniad i ddynoliaeth drwyddi draw: **"Mae'r rhan fwyaf o wahaniaethau yn arwynebol. Profodd hanes dynoliaeth hyn. 'Does yna ddim hil sydd yn bur. 'Does yna ddim diwylliant sydd yn bur. Bu'n rhaid i bobl fyw gyda'i gilydd."**

In America, knowledge of Africa was very limited. But in his new home in Britain the continent's presence was everywhere.

Robeson studied African cultures and languages with a passion, and was thrilled to discover the same rhythm and intonations that he knew from the Black communities of his childhood. In Poland, he found that the melodies of Central Africa had influenced European music. Such discoveries led naturally to his mission to interpret for Western ears the pure Negro song.

By the 1930s, Robeson had met and befriended future African leaders, Nnamdi Azikiwe, Jomo Kenyatta and Kwame Nkrumah. He planned to travel widely throughout Africa, and one day to settle there permanently, although neither aim was fulfilled: **"They are my own people, and I would be on my native soil. Among white men I am always lonely."**

Initially, Robeson emphasised what he called **"the consciousness of inner spirit"** in the African temperament. In his later years, he moved towards a realisation of the oneness of humankind:

"Most differences [are] only superficial. The History of Mankind proves this. No pure race. No pure culture. No people has lived by itself."

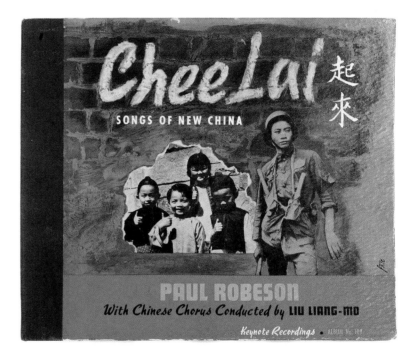

rhyddid i bawb

Cyfarfu Robeson yn gyntaf â Jawaharlal Nehru yn Llundain. Roedd y ddau ohonyn nhw yn daer dros annibyniaeth i'r India. Yn 1958, fe ddatganodd Nehru, y Prif Weinidog, ei fod am gael 'Diwrnod Robeson' i ddathlu ei benblwydd, gan bwyso ar lywodraeth yr UD i ddychwelyd ei basbort. Trefnwyd dathliadau New Dehli gan Indira Gandhi.

Yn y brwydro yn Indo-Tseina, gwelodd Robeson mai bod yn unol o ran dosbarth ac o ran hil oedd yn bwysig: *"A fydd tollgnydwyr Negroaidd o Mississippi yn cael eu gyrru i saethu gwladwyr brown eu crwyn yn Fietnam?"*

Ymladdodd Robeson yn erbyn system apartheid yn Ne'r Affrig ac ymgyrchodd dros adfer llywodraeth a etholwyd yn ddemocrataidd yn Chile.

Aeth i Seland Newydd ac i Awstralia ar daith i ganu mewn cyngherddau. Dyma fyddai ei daith olaf. Roedd Awstralia, fel gwlad, wedi dioddef oddi wrth rywbeth yn debyg i McCarthiaeth yn yr Amerig. Cafwyd problemau gyda lleoliadau'r cyngherddau a bu rhai papurau newydd yn fygythiol tuag ato.

Canodd i gefnogi gweithwyr y dociau yn Wellington, Seland Newydd a chododd ei lais i dynnu sylw at bobl y Maori a'r Aboriniaid a oedd yn cael eu gorthrymu a'u camdrin yn Awstralia. Yn y maes awyr yn Perth cafodd ei groesawu yn y fath fodd gan blant yr Aborini fel y bu'n rhaid i bobl Awstralia dalu sylw i'w hachos. Roedd hyn cyn y daeth gweithredoedd o'r math hyn yn ffasiynol: *"Does yna ddim o'r fath beth â dyn 'araf'. Dim ond cymdeithas sydd yn dweud mai araf ydynt."*

freedom for all

Robeson first met Jawaharlal Nehru in London in 1938 where they shared their passion for Indian independence.

In 1958, Prime Minister Nehru proclaimed a Robeson Day to celebrate his birthday, urging the US government to return his passport. The New Delhi festivities were organised by Indira Gandhi.

Paul Robeson a Nehru
Paul Robeson and Nehru

In the struggles in Indo-China, Robeson saw class and racial solidarity as the only bases for progress:

"Shall Negro sharecroppers from Mississippi be sent to shoot down brown-skinned peasants in Vietnam?"

He actively supported the fight against the apartheid system in South Africa and campaigned for the return to a democratically-elected government in Chile.

Robeson visited New Zealand and Australia on what was to be his last concert tour. In Australia - which had suffered from its own version of McCarthyism - some newspapers were aggressive and some problems with concert venues were experienced.

He sang in support of striking waterside workers in Wellington, New Zealand, and spoke out about the suppression of the Maori people and their culture and the brutal mistreatment of Australia's Aborigines. His public embrace of Aborigine children at the airport in Perth sent a strong signal to all Australians and gave a great boost to the Aboriginal cause at a time before such acts were fashionable:

"There's no such thing as a 'backward' human being. There is only a society which says they are backward."

ymladd dros galon yr amerig
the fight for the heart of america

Rali Hawliau Sifil, Madison Square Gardens, 1947
Civil Rights Rally, Madison Square Gardens, 1947

Wrth i'r Ail Ryfel Byd ddechrau, dychwelodd Robeson i Efrog Newydd. Teimlai gyfrifoldeb i fod gyda'i bobl ei hun. Fe'i gwnaed yn arwr cenedlaethol gan Americanwyr du a gwyn eu crwyn. Daeth enw Robeson yn gyfystyr â'r frwydr am ddemocratiaeth.

Pan ddychwelodd yno, fe gyhoeddodd na fyddai'n canu i gynulleidfaoedd du a gwyn ar wahân. Canodd mewn cyngherddau i godi arian, siaradodd mewn ralïau a chanodd mewn cyngherddau rhyng-hiliol ar adeg pan oedd y lluoedd arfog yn yr UD yn dal ar wahân.

Yn dâl am ei wasanaeth fe gafodd gydnabyddiaeth swyddogol gan Ysgrifenyddion y Rhyfel a'r Trysorlys.

Yn y cyfnod hwn, datblygodd ei dalentau artistig a gwleidyddol. Roedd erbyn hyn yn canu caneuon clasurol a chaneuon y mudiad llafur mewn cyngherddau. Er gwaethaf ei ddatganiadau gwleidyddol beiddgar, tyfu a wnaeth ei boblogrwydd. Deuai llu o bobl i'w weld yn perfformio ac yn 1941 yr oedd ef gyda un o'r artistiaid a gâi eu talu fwyaf am gyngherddau.

As World War II began, Robeson returned to New York. He felt his responsibility was to be with his own people. Acclaimed as a national hero by both Black and white Americans, Robeson became a voice for democracy.

On his return, he announced that he would not sing for segregated audiences. He gave war relief benefit concerts, spoke at war bond rallies, and sang to the first racially-mixed European troops at a time when US armed forces were still segregated.

In appreciation of his efforts, he received official recognition from the Secretaries of War and the Treasury.

These were the years of his artistic and political maturity. His repertoire expanded to include classical songs and songs of the labour movement. And despite his increasingly outspoken political statements, his popularity increased. His concert attendances were staggering and in 1941 he was among the highest paid concert artists of the year.

Er gwaetha'i boblogrwydd nid anghofiodd am y delfrydau rhyngwladol a ddysgodd tra oedd yn Ewrop. Cafodd ei ysbrydoli gan radicaliaeth glowyr Cymru. Bu'n dyst i'r ffaith bod Negroaid a phobl wyn eu crwyn wedi ymladd ochr wrth ochr yn Sbaen yn erbyn Ffasgaeth. Ni allai weld unrhyw reswm na allai'r Americanwyr wneud yr un peth yn erbyn ei gelynion hi.

But Robeson never forgot the internationalist ideas that he had learnt in Europe. He had been inspired by the radicalism of the Welsh miners. He had observed first hand in Spain, Negroes and whites fighting side by side against fascism. And he saw no reason why they could not do the same in America against a similar enemy.

"Rwy'n gwrthod gadael i'm llwyddiant personol ddileu'r holl anghyfiawnderau sy'n cael eu profi gan 14 miliwn o'm pobl."

"I refuse to let my personal success explain away the injustices to fourteen million of my people."

Paul Robeson, 1947

76

americanaidd ?

"Man in white skin can never be free
While his black brother is in slavery."

"Our Country's strong, our country's young
And her greatest songs are still unsung."

Darlledwyd *Ballad for Americans* - cylch o ganeuon a gyfansoddwyd gan Earl Robinson gyda Paul Robeson yn canu'r prif ran, ar y 5ed o Dachwedd 1939. Derbyniodd gymeradwyaeth anferthol. Bu'r gynulleidfa yn y stiwdio yn cymeradwyo am ugain munud a gwerthodd y record 30,000 o gopïau mewn blwyddyn.

Apeliodd y *Ballad* at bobl mewn cyfnod cythryblus a thorrodd ar draws bob haen boliticaidd. Fe'i canwyd yng nghynadleddau'r Pleidiau Gweriniaethol, Democratig a Chomiwnyddol.

Roedd yna ymdeimlad cryf o wladgarwch yn y *Ballad* ond mor fuan â Medi 1942 fe gyhuddwyd Robeson o fod yn Gomiwnydd gan y Cyngresydd Martin Dies pan lefarodd ran yn *Native Land*, Frontier Films.

Er gwaethaf llwyddiant Robeson ar Broadway wrth berfformio *Othello* yn 1943-4 a'r cyngherddau taith a dorrai bob record, fe deimlai fod grymoedd gwrth-ddemoc-rataidd yn cynyddu yn y wlad.

Yn 1947 fe synnwyd y gynulleidfa yn Salt Lake City pan gyhoeddodd ei fod am ymddeol dros dro o'r llwyfan ond y byddai'n dal i ganu i gynulleidfaoedd undebau llafur a'i gyfeillion coleg.

Ar frig ei yrfa artistig fe gerddodd ymaith. Roedd wedi penderfynu cymryd rhan fwy blaenllaw yn y frwydr yn erbyn hiliaeth a grymoedd adweithiol.

unamerican ?

"Man in white skin can never be free
While his black brother is in slavery."

"Our Country's strong, our Country's young
And her greatest songs are still unsung."

Ballad for Americans, an inspiring song cycle by Earl Robinson, with Paul Robeson as the lead performer, was broadcast on 5 November 1939 to huge national acclaim. The studio audience applauded for twenty minutes, and the recording sold 30,000 copies within a year.

The *Ballad*'s universal appeal, which caught perfectly the mood of the nation at this critical time, cut across all political lines. It was sung at the 1940 conventions of the Republican, Democratic and Communist Parties.

But as early as September 1942, notwithstanding *Ballad*'s clear demonstration of Robeson's deep patriotism, he was accused of being a Communist by Congressman Martin Dies when he narrated Frontier Films' *Native Land*.

Despite Robeson's record-breaking success in the 1943-4 Broadway *Othello*, and the sold-out concerts of his national tours, he sensed the threat of the growing anti-democratic forces. In 1947, Robeson announced to a startled concert audience in Salt Lake City that he was temporarily retiring as a concert performer and would sing only for his trade union and college friends.

At the peak of his artistic powers as a singer, he walked away from his powerfully successful career.

He had decided to take a more active part in the fight against the growing forces of racism and reaction.

Robeson ar linell biced
Ford's Theatre, St Louis 1947
Robeson gyda Albert Einstein
a Henry Wallace, 1948
Paul Robeson mewn gwrthdystiad gwrth-wahaniad yn Washington DC 1940

Robeson on picket line
Ford's Theatre, St Louis 1947
Robeson with Albert Einstein
and Henry Wallace, 1948
Paul Robeson at anti-segregation
demonstration, Washington DC 1948

tro ar fyd

"... Mae wedi dod i'r pwynt bellach os yw rhywun eisiau profi nad yw'n wyrdroadol mae'n rhaid iddo droi at y Ku Klux Klan neu at McCarthy neu at rywbeth arall sy'n profi ei fod e'n 'Fil y cant Americanaidd' ac mae hyn yn y bôn yn Ffasgaidd."

JA Rogers, *Pittsburgh Courier*

winds of change

"... It's getting to the point where to prove you're not a subversive you must be a Ku Kluxer, a McCarthyite, or some other 'thousand per cent American' that is a Fascist at heart."

JA Rogers, *Pittsburgh Courier*

Pobl yr oedd gang lynsio wedi ymosod arnynt
Victims of the lynch mob

Cefnogodd Robeson Henry Wallace o'r Blaid Flaengar yn etholiadau'r UD yn 1948. Pleidleisiodd y bobl, fodd bynnag, i Harry Truman a pholisi grymus yn erbyn Comiwnyddion dramor a chartref.

Roedd yr hinsawdd am newid yn syfrdanol i Robeson. Roedd neuaddau cyngerdd a fu unwaith yn llawn hyd y fil yn gwrando arno, yn awr yn gwrthod mynediad iddo. Dechreuodd Arlywyddiaeth Harry Truman ddad-wneud polisïau blaengar Y Ddêl Newydd a gyflwynwyd gan Roosevelt. Collwyd llawer o'r rhyddfrydiaeth cymdeithasol a welwyd yn ystod blynyddoedd y rhyfel a gwelwyd yn lle hynny gulni creulon McCarthiaeth.

"Roedd methiant y wlad i anrhydeddu eu haddewidion ac i roi trefn ar y wlad wedi peri i Robeson - yn wahanol i eraill - ymateb yn ffyrnig. Roedd e wedi ei gythruddo i'r byw a gwrthododd ildio."

Martin Duberman

Esgorodd y cyfnod ar ôl y rhyfel ar drais hiliol a gwelwyd pobl o dras Affrican-Americanaidd yn cael eu lladd heb brawf. Roedd hanner cant a chwech o ddynion a gwragedd du eu crwyn wedi cael eu lladd ers diwedd y rhyfel heb i neb eu harestio na'u ditmentio. Ym Medi 1946 fe arweiniodd Robeson ddirprwyaeth at Arlywydd Truman yn ei ddeisebu i gefnogi deddfwriaeth cenedlaethol yn erbyn yr achosion hyn o ladd heb brawf.

Yn fuan ar ôl hyn fe holwyd i Robeson ddod gerbron Pwyllgor Archwilio yn erbyn Gweithgareddau Gwrth Americanaidd. Yn ôl pob golwg fe holwyd iddo ymchwilio i weithgareddau'r Ku Klux Klan. Pan holwyd iddo a oedd yn aelod o'r Blaid Gomiwnyddol fe dyngodd lw nad oedd.

Gofynnwyd yr un cwestiwn iddo ym Mehefin 1948 yn ystod gwrandawiad o'r Mesur Mundt-Nixon ym Mhwyllgor Seneddol ar wrth-Gomiwnyddiaeth. Y tro hwn gwrthododd Robeson ateb:

"Dydy'r ffaith fy mod i'n Gomiwnydd neu'n cydymdeimlo â Chomiwnyddiaeth ddim o bwys.

Y cwestiwn yw hwn - a yw dinasyddion yr Amerig, er gwaetha'u teimladau a'u credoau yn cael yr un hawliau cyfansoddiadol? Os yw'r llywodraeth yn poeni o ddifrif am achub yr Amerig rhag pwerau tanseiliol, yna gadewch i'w swyddogion ... ddechrau gwneud rhywbeth ynglŷn â'r ffasgwyr yna sydd yn siarad yn agored am ddileu trefni-adaethau democrataidd a hawliau sifil yma yn yr Amerig heddiw."

In the 1948 US elections, Robeson campaigned for Henry Wallace of the Progressive Party. The nation, however, voted for Harry Truman and a get-tough policy towards Communists abroad and at home.

The climate was to change drastically for Robeson. Concert halls, where he had previously sung to packed and appreciative audiences, denied him access. Harry Truman's Presidency reversed the progressive policies of Roosevelt's New Deal, and the country retreated from wartime social progress into the brutal intolerance of McCarthyism.

"The country's failure to set its house in order, to ransom its own promise, brought out in Robeson not - as in so many others - weary acquiescence but, rather, uncompromising anger, a dogged refusal to bow."

Martin Duberman

The post-war period had already seen a marked increase in racial violence and most brutally the lynching of African-Americans.

Fifty-six Black men and women had been killed since the end of World War II without a single arrest or indictment. In September 1946, Robeson led an integrated delegation to President Truman to petition him to support national anti-lynching legislation.

Shortly after this, Robeson was asked to appear before the Joint Fact-Finding Committee on Un-American Activities. He was ostensibly called to investigate the activities of the Ku Klux Klan. But questioned whether he was a member of the Communist Party, he replied under oath that he was not.

In June 1948, he was asked the same question during a Senate Committee hearing on the anti-Communist Mundt-Nixon Bill. This time Robeson refused to answer:

"Whether I am or am not a Communist or Communist sympathizer, is irrelevant.

The question is whether American citizens, regardless of their political beliefs or sympathies, may enjoy their constitutional rights. If the government is sincerely concerned about saving America from subversive forces, let our officials ... start doing something about the fascists who are openly parading their disdain of civil rights and democratic procedures here in America today."

"Pan fydd cyllell cyrch-filwr yn hollti llygaid Negro ifanc fel y bydd yn agor fel wy a bod plisman yn gwylio'r digwyddiad gan wenu, 'does yna ddim gair sy'n ddigon i ddisgrifio'r teimlad."

Howard Fast
Peekskill, 4 Medi 1949

"And when a storm-trooper's knife cuts the eyeball of a negro lad in two, so that it opens up like an egg, and a policeman watches, smiling, there are no words sufficient."

Howard Fast
Peekskill, 4 September 1949

Cyfarfod Hawliau Sifil, Efrog Newydd 1949
Civil Rights meeting, New York 1949

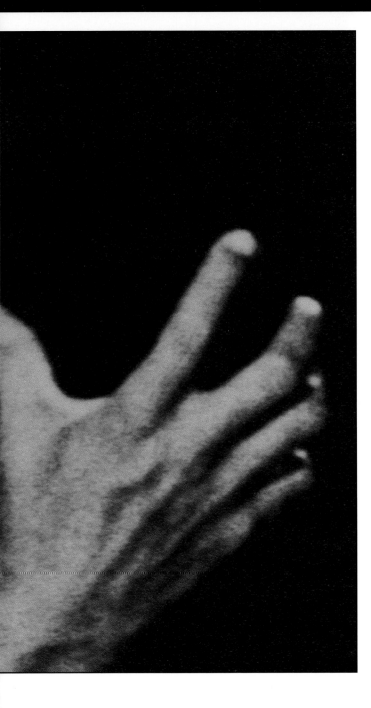

ebrill ym mharis april in paris

boicot a llosgi llyfrau boycotts and burning books

Gofynnwyd i Paul Robeson siarad yng Nghyngres Paris o Bartisaniaeth y Byd am Heddwch yn Ebrill 1949. Yn ystod ei araith soniodd am bobl ddu America yn peidio mynd i frwydro dramor. Fe glywid yr un neges ddegawd yn ddiweddarach gan Muhammad Ali a wrthododd fynd i ymladd i Fietnam:

"Does yna ddim un Vietcong wedi fy ngalw i yn 'nigger' erioed."

Ym Mharis, soniodd Robeson fod cyfoeth yr Amerig wedi ei ennill ar draul **"cefnau gweithwyr Ewrop ... a chefnau'r dynion duon"**. Dywedodd, **"Dylem ei rannu'n gydradd rhwng ein pobl. Fyddwn ni ddim yn dioddef pobl hysterig yn gweiddi arnom i gyhoeddi rhyfel ar bawb a phopeth. Ein nod yw ymladd yn galed am heddwch. Wnawn ni ddim cyhoeddi rhyfel ar yr Undeb Sofietaidd."**

Fe bardduwyd enw Robeson dros nos. Ef, yn ôl y cyfryngau, oedd gelyn a gwrthwynebwr pennaf America ac fe'i targedwyd gan yr FBI, y CIA a chan Adran y Wladwriaeth.

Paul Robeson was invited to speak at the Paris Congress of the World Partisans of Peace in April 1949. During his contribution, he made comments about Black Americans not fighting abroad, prefiguring those of Muhammad Ali a decade later in his refusal to fight in Vietnam:

"No Vietcong ever called me nigger."

Robeson observed that the wealth of America had been built **"on the backs of the white workers from Europe ... and on the backs of millions of Blacks"** and stated that **"We are resolved to share it equally among our children. And we shall not put up with any hysterical raving that urges us to make war on anyone. Our will to fight for peace is strong. We shall not make war on anyone. We shall not make war on the Soviet Union."**

Robeson was demonised overnight. He had become America's leading dissident, declared an enemy of the people by the media, targeted by the FBI, the CIA, and the State Department.

Tynnwyd ei recordiau o silffoedd siopau a llosgwyd ei lyfrau yn gyhoeddus. Canslwyd ei gyngherddau. Erbyn 1952 roedd ei incwm blynyddol wedi disgyn o dros $150,000 i $6,000.

Roedd yn hawdd trefnu'r boicot. Byddai unrhyw un fyddai'n ystyried cynnal cyngerdd lle'r ymddangosai Robeson yn derbyn ymweliad gan yr FBI. Y gwir amdani oedd bod Robeson wedi cael ei wylio ers 1941, cyfnod pan oedd ei yrfa yn ei hanterth ac yntau yn arwr yn ystod y rhyfel. Yn 1943 roedd J. Edgar Hoover wedi gosod Robeson ar restr atalfa yr FBI petai yna gyfnod o argyfwng cenedlaethol.

peekskill

Yn 1949, gan gofio bod yr ymdeimlad o gyhuddiad yn erbyn Robeson yn cynyddu, fe welwyd torfeydd hiliol a threisgar yn tarfu ar ddau o'i gyngherddau yn Peekskill, Efrog Newydd. Yn niwedd mis Awst daeth gangiau o brotestwyr, wedi eu cefnogi gan yr heddlu a rhwystro un cyngerdd rhag mynd yn ei flaen. Wythnos yn ddiweddarach, wedi ei amgylchynu gan fur o gefnogwyr, fe ganodd Robeson i'w gynulleidfa. O amgylch Peekskill gwelwyd nifer o groesau ynghyn ar y bryniau a hongiai dwy ddelw o Robeson ar goed cyfagos.

Wrth i'r gynulleidfa adael y cyngerdd fe glywid torf arall yn gweiddi sen a sarhad hiliol a gwrthsemitig. Yn gyflym, trodd y

geiriau yn ergydion ac ar ôl y ffrwgwd bu'n rhaid i 150 dderbyn triniaeth feddygol.

Llun o'r awyr o Gyngerdd Peekskill
Aerial view of Peekskill Concert

His records were wthdrawn from the shops and his books publicly burned.

His concerts were cancelled. By 1952, his annual income had dropped from over $150,000 to $6,000.

The boycott was easily enforceable - anyone who might think of hosting a Robeson concert or a speech was immediately visited by the FBI. In fact, documents reveal that Robeson was under surveillance from 1941, even as the nation paid tribute to his artistry and his war effort. In 1943, J. Edgar Hoover placed Paul Robeson on the FBI detention list as a threat to state security in the event of a national emergency.

peekskill

In 1949, the growing climate of accusation encouraged violent and racist mobs to disrupt two Robeson outdoor concerts in Peekskill, New York. Organised gangs, supported by the local police, prevented a 27 August concert from taking place. One week later, and protected by a wall of supporters, Robeson was able to sing. But crosses burned on the hills surrounding the site, and two effigies of Robeson hung from nearby trees.

As the concert-goers left the area, an angry crowd screamed anti-Black and anti-Semitic insults, and the words quickly turned into physical violence.

By the time the brutal melee ended,150 people needed medical treatment.

Peekskill, 1949

Nododd colofn olygyddol y *New York Times* yn 1949:

"Ar y ffyrdd ger Peekskill digwyddodd cyfres o ddigwyddiadau a oedd yn gywilydd i'r gymuned. Gall gangiau o ffyliaid fel hyn yn Nhalaith Westchester wneud cymaint o niwed i ddemocratiaeth ag y mae gangiau cyfraith y cortyn yn ei wneud yn nyfnderoedd Georgia."

Dyma adroddiadau o ddau gyngerdd Peekskill gan Howard Fast. Cyhoeddwyd hwy yng *Nghylchgrawn y New Theatre* yn Ebrill 1950:

PEEKSKILL 27 Awst 1949
"Cyrhaeddais yno am saith o'r gloch, awr gyfan cyn i'r cyngerdd ddechrau. Caniatawyd i un car ddod i mewn ar ôl f'un i. Caewyd y ffordd wedyn gan y cyrch-filwyr - a does dim un term arall i'w disgrifio. Roedd rhai mewn gwisg milwrol, rhai yn eu dillad eu hunain. Roedd gan bob un ohonynt yr ychwanegiadau hanesyddol - y dyrnau haearn, pastynau, creigiau, clybiau, pibau plwm a sloganau ffiaidd. Roedd rhwng pump a saith cant ohonyn nhw yno. Ar ôl cau'r ffordd fe geision nhw eu gorau glas i lofruddio hanner cant o ddynion a dros gant a hanner o wragedd a phlant. Dim ond y cant cyntaf ohonom ni, fechgyn a merched a oedd wedi cynnig eu gwasanaeth fel tywyswyr, a rhai pobl â phlant oedd wedi dod i weld y cyngerdd, oedd wedi mynd i mewn i'r maes o gwbl. Ar ôl i'r ffordd gau buom yn ymladd â'r cyrch-filwyr am ddwy awr a hanner.

A 1949 *New York Times* editorial noted:

"On the roads near Peekskill there occurred a series of incidents that were a disgrace to the community and a reminder that as great violence can be done to democracy by a gang of hoodlums in Westchester County as by a lynch mob in darkest Georgia."

These are first hand accounts of both Peekskill concerts by Howard Fast, writing in the *New Theatre Journal* of April 1950:

PEEKSKILL 27 August 1949
"I arrived there at seven o'clock, an hour before the scheduled time of the concert. One more car was admitted after mine. Then the road was closed - by storm-troopers, and no other term fits. Storm-troopers they were, some in uniform, some in plain clothes, all of them fitted out with the historic equipment, the brass knucks, the billies, the rocks, the wooden clubs, the lead pipes, and the filthy slogans. Between five and seven hundred of them closed the road, locked us in, and proceeded to attempt the mass murder of fifty men and a hundred and fifty women and children. Only the first hundred of us, girls and boys who had volunteered as ushers, some concert goers and their children, and a handful of trade-unionists, ever entered the grounds, and for the next two and a half hours after the road was closed we fought the storm-troopers.

Am ddwy awr a hanner gyfan arhosodd yr heddlu yno heb wneud dim … Roedd anafiadau ar ein penglogau, ar ein hwynebau ac ar ein cyrff. O'r diwedd, wrth i ni aros yno mewn cylch gyda'r gwragedd a'r plant y tu mewn i ni fe welon ni … y tân mawr ac ynddo y fflamiai ein llyfrau, ein cerddoriaeth a'n pamffledi ac o gylch y goelcerth fe weiddai'r cyrch-filwyr yn wallgof fel petaent wedi meddwi'n gaib."

PEEKSKILL 4 Medi 1949

".. gwelsom fil o blismyn, cyrch-filwyr, siryfion, dirprwyon, heddlu sirol, heddlu trefol - fe'u gwelsom yn uno â'r cyrch-filwyr i droi diweddglo'r cyngerdd yn loddest o boen a thrallod. Gwelsom ein hunain, ein cyfeillion a'n plant wedi eu gorchuddio â gwaed, wedi eu dyrnu a'u hanafu a'u dallu. Gwelsom faes y gad yn ymestyn dros ddeg milltir o ffordd. Gwelsom wallgofrwydd annynol yr heddlu a'r cyrch-filwyr, y Ku Klux Klan a'r Lleng. Gwelsom wardiau'r ysbyty yn llenwi â'n pobl ni oedd wedi eu hanafu ac yn gwaedu. Gwelsom beth yr ydym hyd yma ond wedi darllen amdano. Pan fydd cyllell cyrch-filwr yn hollti llygaid Negro ifanc fel y bydd yn agor fel wy a bod plisman yn gwylio'r digwyddiad gan wenu, 'does yna ddim gair sy'n ddigon da i ddisgrifio'r teimlad."

PEEKSKILL: y canlyniad

"Mae'r Negroaid yn wahanol, peidiwch â gwneud camsyniad. Anelwyd y ffieidd-dra hwn yn Peekskill atyn nhw, at yr Iddewon ac at y Comiwnyddion. Maen nhw i gyd yn wahanol. Rydw i yn wahanol. Nid ysgrifennwr yn unig ydw i bellach … o hyn ymlaen cleddyf fydd ein geiriau a fydd yn torri bwystfil ffasgaeth yn ddarnau mân neu fydd dim gobaith i ni lenydda."

And for two and a half hours, the police stood by, hands off ... The lessons were on our skulls, our faces, our bodies; and at last, when we stood in a tight circle, with the women and children inside, we saw ... the great fire into which our books, our music, our pamphlets were tossed, while the storm-troopers danced around in a drunken, screaming frenzy ..."

PEEKSKILL 4 September 1949

A week later, after Robeson had successfully performed …

".. we saw a thousand police, state-troopers, sheriffs, deputies, county police, town police - we saw them join forces with the storm-troopers and turn the aftermath of the concert into an orgy of blood and pain.

We saw ourselves and our friends and our children covered with blood, beaten, blinded, maimed - we saw a battlefield stretched out over ten miles of road - we saw the sub-human frenzy of the union of police and storm-troopers, Ku Klux Klan and Legion - we saw the hospital wards fill with our cut and bleeding - we saw what we had only read about, and when a storm-trooper's knife cuts the eyeball of a negro lad in two, so that it opens up like an egg, and a policeman watches, smiling, there are no words sufficient."

PEEKSKILL: the aftermath

"And the Negro people are different - make no mistake. This abomination at Peekskill ... was directed against them, and against the Jewish people, and against the Communists, and they are all different.

I am different and I am not just a writer anymore ... from here on we must make of our writings a sword that will cut this monster of fascism to pieces, or we will make no more literature."

carcharor yn ei wlad ei hun
a prisoner in his native land

Llun allan o'r ffilm, ***The Emperor Jones****, 1933*
Still from the film, ***The Emperor Jones****, 1933*

Yng Ngorffennaf 1950, diddymodd Adran y Weinyddiaeth basbort Robeson. Dywedasant nad oedd yn ddoeth iddo deithio dramor am ei fod **"... ers blynyddoedd wedi bod yn ymgyrchu'n wleidyddol ar ran pobl drefedigaethol yr Affrig."**

Roedd llen haearn wedi disgyn. Roedd ef yn awr yn garcharor yn ei wlad ei hun. Fe'i dilynwyd i bobman, gwrandawyd ar ei alwadau ffôn, agorwyd ei lythyron a nododd pobl ble yr oedd yn mynd a phryd y deuai yn ôl. Yng ngolwg sefydliad yr UD roedd ef yn elyn ac yng ngolwg y cyhoedd roedd ef wedi mynd i gefn y llwyfan.

In July 1950, the State Department cancelled Robeson's passport. They said it was not in the best interest of the United States to have Robeson travel abroad as **"... he has been for years extremely active politically in behalf of the independence of the colonial peoples of Africa."**

An iron curtain had descended. He was now imprisoned within the United States. He was followed, his phone tapped, his mail opened, and informants reported his comings and goings. In the eyes of the US establishment, he was an enemy and had become a non-person in the public record.

"Mae gwrthod i artist talentog fel Robeson i roi ei gelfyddyd i'r byd yn dinistrio'r sylfaen a roddodd fod i'n diwylliant a'n gwareiddiad."

Charlie Chaplin

"To deny a great artist like Robeson his right to give his art to the world is to destroy the very foundation upon which our culture and civilisation is built."

Charlie Chaplin

Serch hynny, er gwaetha'r ffaith fod ei iechyd yn dirywio, rhoddodd berfformiad ysgubol wrth ateb rhai o'r cyhuddiadau a wnaed gan Bwyllgor y Tŷ ar weithgareddau gwrth-Americanaidd:

"Dydw i ddim yn cael fy erlid oherwydd y ffaith fy mod i'n Gomiwnydd. Rydw i'n cael fy erlyn am fy mod yn ymladd dros hawliau fy mhobl sydd yn dal i fod yn ddinasyddion eilradd yn Unol Daleithiau America …

Rydych chi am gau ceg pob Negro dewr sydd yn sefyll ac yn ymladd dros hawliau ei bobl …" Caethwas oedd fy nhad ac fe fu fy mhobl i farw yn codi'r wlad hon ar ei thraed. Rydw i yn mynd i sefyll yn y fan hon a bod yn rhan ohoni yn union fel chi. Ni all yr un person ffasgaidd fy atal i rhag aros ynddi. Ydych chi'n deall?"

os ydych chi mor ddemocrataidd …

Pan ataliwyd pasport Robeson bu'r brotest yn fyd eang. Gofynnwyd i ddiplomyddion mewn gwledydd tramor,

"Os ydych chi mor ddemoc-rataidd, pam na adewch chi i Paul Robeson deithio?"

Ymgyrchodd ei ffrindiau ym Mhrydain yn galetach na neb er mwyn iddo gael yr hawl i ganu ac i gael yr hawl sylfaenol i siarad drwy'r byd. Sefydlwyd ymgyrch **Gadewch i Paul Robeson Ganu** yn Lloegr yn 1954. Yn Hydref 1950, yng Nghynhadledd Heddwch y Byd yn Warsaw, fe roddwyd Gwobr Heddwch y Byd iddo ef a Pablo Picasso. Enillodd Wobr Rhyngwladol Stalin am Heddwch yn 1952. Yn 1953 cafodd y gwahoddiad blynyddol i ganu yn Eisteddfod y glowyr yma yng Nghymru a gwahoddiad o Loegr i berfformio *Othello*.

Yn gyffredinol fe gâi ei ddiarddel yn yr Amerig a'i glodfori mewn mannau eraill o'r byd. Ond yr oedd yna bobl eraill a ddymunai'r gwaethaf iddo, er enghraifft yr Arglwydd Beaverbrook a roddodd enw Robeson ar 'restr wen' o bobl na ddylid cyfeirio atynt o gwbl yn yr *Express*. Ni lwyddodd 'carchariad' Robeson i ddiffodd fflam ei weithgarwch gwleidyddol. Yn 1951, fe arweiniodd ddirprwyaeth i'r Cenhedloedd Unedig i gyflwyno deiseb Hawliau Sifil i'r Gyngres.

Yn *'We Charge Genocide'* nodwyd bod *"15 miliwn o Americanwyr du yn profi amgylchiadau byw sy'n achosi marwolaeth cyn pryd, tlodi ac afiechyd."*

But, in spite of his failing health, in June 1955, Robeson gave one of his finest performances in answer to the accusations of the House Committee on Un-American Activities:

"I am not being tried for whether I am a Communist, I am being tried for fighting for the rights of my people, who are still second class citizens in this U.S. of America …

You want to shut up every Negro who has the courage to stand up and fight for the rights of his people …

Because my father was a slave and my people died to build this country. And I am going to stay here and have a part of it just like you. And no fascist-minded people will drive me from it. Is that clear?"

if you're so democratic …

The withdrawal of Robeson's passport brought world protest. American diplomats abroad were asked,

"If you're so democratic, why don't you let Paul Robeson travel ?"

His friends in Britain campaigned harder than any for the return of his civil rights to talk and sing throughout the world. The **Let Robeson Sing Campaign** was established in 1954. In October 1950, he was awarded the International Peace Prize at the World Peace Conference in Warsaw, along with Pablo Picasso, and he won the International Stalin Peace Prize in 1952. In 1953 came the first of yearly invitations from Wales to sing at the Miners' Eisteddfod - and from England to perform *Othello*.

Although his ostracism at home was in marked contrast to his continued lionisation abroad, Robeson's censorship was not confined to the US. Lord Beaverbrook had him placed on his so-called 'white list' of people whose names were never to be mentioned in the *Express* newspapers. Robeson's continued 'imprisonment', however, failed to extinguish his political activity. In 1951, he led a delegation to the United Nations to present a Civil Rights Congress petition.

We Charge Genocide asserted that *"15 million black Americans are mostly subjected to conditions making for premature death, poverty and disease."*

pasport i borthcawl
passport to porthcawl

y linc traws-iwerydd the trans-atlantic link

"Rydym ni'n hapus ei bod hi wedi bod yn bosibl i ni drefnu i chi siarad a chanu i ni heddiw. Byddem yn llawer hapusach o'ch cael chi yma gyda ni"

Will Paynter, Llywydd Ardal De Cymru o Undeb Cenedlaethol y Glowyr

Ar ddydd Sadwrn, y 5ed o Hydref 1957, canodd Paul Robeson i Gymru am y tro cyntaf ers 1949.

Er gwaetha epidemig o ffliw Asiaidd, gwthiodd 5000 o bobl i mewn i Bafiliwn Porthcawl i ddathlu degawd Eisteddfod Flynyddol y Glowyr .

Roedd y dechnoleg newydd wedi galluogi bod y ffôn yn cael ei defnyddio i ddileu gwaharddiad y pasport. Canodd Robeson i gynulleidfaoedd Cymru a chlywodd berfformwyr o Gymru yn canu iddo yntau.

Cafwyd cyflwyniad croesawus gan Will Paynter, Llywydd Ardal De Cymru o Undeb Cenedlaethol y Glowyr:

"Rydyn ni'n edrych ymlaen at y dydd pan fyddwn ni'n gallu siglo eich llaw a'ch clywed chi'n canu gyda ni yn y dyffrynnoedd hyn sy'n llawn o gerddoriaeth a chân."

"We are happy that it has been possible for us to arrange that you speak and sing to us today. We would be far happier if you were with us in person."

Will Paynter, President of the South Wales Area of the National Union of Mineworkers

On Saturday 5 October 1957, Paul Robeson sang to Wales for the first time since 1949.

Despite an epidemic of Asian flu, 5000 people crammed into the Porthcawl Pavilion for the Tenth Annual Miners' Eisteddfod.

The new technology of a trans-Atlantic telephone triumphed over the passport ban. Robeson sang for a Welsh audience and listened to performers from Wales returning the compliment.

Following the welcoming remarks of Will Paynter, the President of the South Wales Area of the National Union of Mineworkers:

"We look forward to the day when we shall shake your hand and hear you sing with us in these valleys of music and song."

Llun teuluol y Robeson, 1957
Robeson family portrait, 1957

Cynulleidfa yn Eisteddfod y Glowyr, Porthcawl 1958 / Audience at Miners' Eisteddfod, Porthcawl 1958

Chwyddwyd llais soniarus Paul Robeson ar y llinell ffôn gan yr uwch seinyddion:

"Diolch i chi am eich geiriau caredig. Cyfarchion cynnes iawn i chi, Gymry hoff. A gaf fi ddweud 'helo' twymgalon wrth lowyr De Cymru yn eich gŵyl fawr. Mae'n anrhydedd cael cymryd rhan mewn gŵyl hanesyddol fel hon. Pob dymuniad da i chi wrth i ni ymgeisio i gael byd lle y gallwn fyw bywydau llawn ac urddasol."

Paul Robeson's resonant voice was heard on the amplified phone line:

"Thank you for those kind words. My warmest greetings to the people of my beloved Wales and a special hello to the miners of South Wales at your great festival. It is a privilege to be participating in this historic festival. All the best to you as we strive for a world where we can live abundant and dignified lives."

Canodd Robeson ganeuon Negroaidd fel *Didn't My Lord Deliver Daniel* a chaneuon megis *Ar Hyd y Nos, This Little Light of Mine, All Men are Brothers* o Symffoni Rhif Naw Beethoven a Lullaby Schubert. Canodd Côr Treorci hwythau ganeuon cyffrous fel *Y Delyn Aur* ac, fel diweddglo i'w perfformiad, *We'll Keep a Welcome in the Hillside.* Nododd Robeson fod y profiad **"fel petawn i yna, gyda chi"** Gorffennodd drwy ganu pennill o *Hen Wlad Fy Nhadau* yn y Saesneg.

I'r rhai hynny a glywodd y darllediad yn yr Eisteddfod bu'n brofiad ysgytwol:

"Petaech chi wedi medru gweld yr holl bobl a oedd yn bresennol yn cydio ym mhob nodyn a gair o'ch eiddo fe fyddech chi'n sicr wedi deall beth yw'r ymdeimlad sydd yn perthyn yma yng Nghymru tuag atoch chi. Galwn arnoch i gael eich rhyddhau o'ch cadwynau."

Will Paynter

Yn ddiweddarach fe fu Paul Robeson yn dwyn i gof beth a ddigwyddodd ym Mhorthcawl:

"Cefais brofiad anhygoel yn canu unwaith yn rhagor i lowyr Cymru … Ni allaf ddweud cymaint y cefais fy nghyffroi ar yr achlysur hwn. Dyma bobl sydd wedi fy mabwysiadau i fel câr ac er na allent fy ngweld i fe deimlwn yn agos iawn tuag atynt."

Disgrifiodd Paul Robeson Jnr yr achlysur gan nodi mai'r **"cyngerdd hwn fu'n gymorth i godi calon fy nhad yn ystod cyfnod o gaethiwed."**

Robeson sang the Negro spiritual *Didn't My Lord Deliver Daniel, Ar Hyd Y Nos, This Little Light Of Mine, All Men Are Brothers* from Beethoven's Ninth Symphony, and Schubert's Lullaby.

Treorchy Male Voice Choir responded with the stirring Welsh song, *Y Delyn Aur - The Golden Harp* and then the whole gathering sang a final *We'll Keep a Welcome in the Hillside.* Robeson commented that **"It seems I am standing right there with you"** and he ended with a verse of *Hen Wlad Fy Nhadau* sung in English.

For those who attended, it was an occasion of great emotion:

"If you could only have seen this great body of people clinging to every note and word, you would have known the extent of the feeling that exists in Wales for you and for your release from the bondage now forced upon you."

Will Paynter

Paul Robeson was later to recall the Porthcawl event with great fondness:

"I had the wonderful experience of singing once again for the miners of Wales ... I cannot say how deeply I was moved on this occasion, for here was an audience that had adopted me as kin and though they were unseen by me I never felt closer to them."

Paul Robeson Jnr has described the event as **"a concert that helped to revive my father's spirit during his time of trial".**

estyn croeso *we'll keep a welcome*

dod adre i gymru coming home to wales

Robeson yn siarad yn Eisteddfod, Glyn Ebwy, 1958
Robeson speaking at the Eisteddfod, Ebbw Vale, 1958

Ym mis Gorffennaf 1958 cafodd Paul ac Eslanda Robeson eu pasport yn ôl.

Cafodd groeso twymgalon ym Mhrydain ac yn Ewrop. Rhwng Medi 21 a Rhagfyr 7 1958, perfformiodd Paul mewn nifer fawr o gyngherddau. Siaradodd o Glasgow i Exeter, o Bradford i Belfast ac ym Mhorthcawl (Hydref 5ed), Caerdydd (Tachwedd 4ydd) ac Abertawe(Tachwedd 23ain).

Cafodd de yn Nhŷ'r Arglwyddi, ginio yn Nhŷ'r Cyffredin, canodd ar y teledu ym Mhrydain a dathlodd canmlwyddiant Theatr Goffa Shakespeare drwy berfformio *Othello*.

Ef oedd y gŵr lleyg cyntaf i ddarllen yr ysgrythur o bulpud Eglwys Gadeiriol St Paul's yn Llundain ac ef oedd y dyn du cyntaf i sefyll wrth y ddarllenfa honno. Dywedodd ymwelydd o'r Amerig:

"Roedd yn rhaid i chi fod yno i brofi gymaint yw'r croeso a pha mor wresog yw'r derbyniad a gaiff Robeson yn Ewrop."

In July 1958, Paul and Eslanda recovered their passports.

A tumultuous welcome met the Robesons in Britain and throughout Europe. Between September 21 and December 7 1958, Paul performed a hectic round of concerts. He spoke from Glasgow to Exeter, from Bradford to Belfast, and from Porthcawl (5 October) to Cardiff (4 November) to Swansea (23 November).

Robeson also took tea at the House of Lords, lunched at the House of Commons, sang on British television, and celebrated the 100th anniversary of the Shakespeare Memorial Theatre by starring in *Othello*.

He was the first lay person to read scripture from the pulpit in St Paul's Cathedral in London and the first Black ever to stand at that lectern. A visiting American remarked:

"You had to be there to experience the full symbolic weight of the reception to understand how Europe feels about Robeson."

Yn 1958, daeth Robeson yn ôl i Gymru. Ym mis Awst roedd ef ac Eslanda yn westeion arbennig yn Eisteddfod Genedlaethol Glyn Ebwy. Roedd eu ffrind Aneurin Bevan, sylfaenydd y Gwasanaeth Iechyd Cenedlaethol yn Aelod Seneddol dros etholaeth yr wŷl.

Disgrifiodd Jennie Lee'r gyngerdd yn ei llyfr, *My Life With Nye*: **"gyda Nye yn y gadair, Paul yn brif ganwr a'r gynulleidfa gyfan yn canu gyda brwdfrydedd a bwrlwm - dyma un o nodweddion gorau'r Cymry. Mae'n torri fy nghalon i feddwl am y caledi a ddioddefodd Paul yn ei flynyddoedd olaf."**

Soniodd Paul am ei gariad at Gymru a'i phobl:
"Rydych chi wedi siapio fy mywyd - Rydw i wedi dysgu llawer oddi wrthoch."

Gofynnwyd iddo beth y carai gael i'w atgoffa am yr ymweliad a dywedodd y carai dderbyn llyfr emynau Cymraeg i'w atgoffa am draddodiad cerddorol cyfoethog y genedl. Disgrifiodd yr Athro Hywel Francis y cyfarfod fel un lle yr oedd ***"dau ddyn rhyngwladol a dau oedd yn bencampwyr dynoliaeth yn cael eu huno ym mhrif wŷl Cymru."***

Ym mis Hydref fe ymwelodd â Chanolfan Adferiad y glowyr yn Nhal-y-garn. Dyma fu ei gysylltiad cyntaf â Chymru, ddeng mlynedd ar hugain o flynyddoedd ynghynt.

Yn y mis Hydref hwnnw hefyd, mynychodd Eisteddfod y Glowyr ym Mhorthcawl wedi hir oedi - flwyddyn union wedi'r cyngerdd traws-Iwerydd. Fe dderbyniodd lamp glöwr fel anrheg.

Dywedodd Dai Dan Davies, arweinydd Undeb y Glowyr, mai dyma oedd y cyfarfod diwylliannol a gwleidyddol mwyaf yr oedd y glowyr wedi ei drefnu erioed.

Robeson gyda'r llyfr emynau a gyflwynydd iddo yn Eisteddfod Genedlaethol Glyn Ebwy, Awst 1958
Robeson with Hymn Book presented to him at the Ebbw Vale National Eisteddfod, August 1958

1958 was also the year Paul Robeson came home to Wales. In August, he and Eslanda were the special guests of the Ebbw Vale National Eisteddfod and their old friend Aneurin Bevan, founder of the National Health Service and Member of Parliament for the constituency where the festival was being held.

Jennie Lee, in her book *My Life With Nye*, described the concert **"with Nye in the chair, Paul the chief solo singer, and the whole of that great audience singing with a fervour and joy that is one of the most endearing of Welsh characteristics. It breaks the heart to think of all the suffering inflicted on Paul Robeson in his later years."**

Robeson spoke of his love for Wales and its people:

"You have shaped my life - I have learned from you."

When asked what he wished to be given to mark his visit, he chose a Welsh hymn book, because it reminded him of his own people's rich musical heritage. Professor Hywel Francis described the meeting as ***"two great internationalists and champions of humanity united at Wales' 'prif wŷl', its premier cultural festival."***

In October, he visited the Talygarn Miners' Rehabilitation Centre which had been his first connection with Wales, three decades earlier.

And also in that October, he finally arrived at the Miners' Eisteddfod in Porthcawl, one year on from the trans-Atlantic concert. Here he was presented with a miniature miner's lamp.

Dai Dan Evans, leader of the Miners' Union, described the meeting as the greatest cultural and political event the miners had ever organised.

Paul ac Eslanda Robeson gyda Aneirin Bevan a Jennie Lee yn Eisteddfod Genedlaethol Glyn Ebwy, Awst 1958
Paul and Eslanda Robeson with Aneurin Bevan and Jennie Lee in the audience at Ebbw Vale National Eisteddfod, August 1958

Paul ac Eslanda Robeson gyda Aneirin Bevan a Jennie Lee mewn derbyniad yn nhŷ Hannah a Cecil N Smith, Awst 1958
Paul and Eslanda Robeson with Aneurin Bevan and Jennie Lee at reception at home of Hannah and Cecil N Smith, August 1958

y blynyddoedd olaf ...
I must keep fighting ...

dyddiau olaf robeson   robeson's last days

> "Na, dydw i ddim yn difaru beth a wnes i ... os ydych chi eisiau rhyddid, mae'n rhaid i chi ddioddef o bryd i'w gilydd."
>
> Paul Robeson, Llundain 1958

> "No, I do not regret, in any sense, what I have done ... If you want freedom, you have to suffer sometime."
>
> Paul Robeson, London 1958

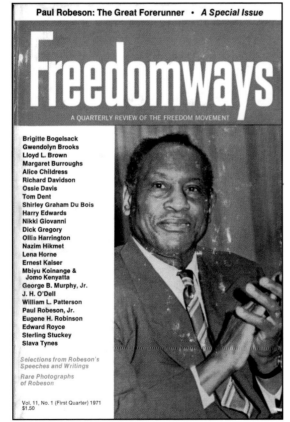

Paul Robeson: The Great Forerunner • A Special Issue

Freedomways

A QUARTERLY REVIEW OF THE FREEDOM MOVEMENT

Brigitte Bogelsack
Gwendolyn Brooks
Lloyd L. Brown
Margaret Burroughs
Alice Childress
Richard Davidson
Ossie Davis
Tom Dent
Shirley Graham Du Bois
Harry Edwards
Nikki Giovanni
Dick Gregory
Ollie Harrington
Nazim Hikmet
Lena Horne
Ernest Kaiser
Mbiyu Koinange &
  Jomo Kenyatta
George B. Murphy, Jr.
J. H. O'Dell
William L. Patterson
Paul Robeson, Jr.
Eugene H. Robinson
Edward Royce
Sterling Stuckey
Slava Tynes

Selections from Robeson's Speeches and Writings

Rare Photographs of Robeson

Vol. 11, No. 1 (First Quarter) 1971
$1.50

cylchgrawn *Freedomways,* 1971
Freedomways journal, 1971

Roedd blynyddoedd o ormes, ymosodiadau ac ymgyrchu cyson yn dechrau gadael eu hôl ar iechyd Paul Robeson.

Erbyn 1961 roedd Robeson wedi penderfynu dychwelyd i'r Amerig ar ôl mynd ar daith dros y byd i ymweld â'r Affrig, yr India, Tsieina a Chiwba. Roedd e'n awyddus i ymladd dros hawliau sifil yn ei wlad ei hun. Ni lwyddwyd i wireddu'r cynulliau, fodd bynnag. Dioddefodd broblemau seicolegol yn ystod ei daith i'r Undeb Sofietaidd. Gwellodd yn ddirfawr ar ôl y gofal a gafodd gan y meddygon o Rwsia ond, ar ôl dychwelyd i Lundain, fe glafychodd ei iechyd unwaith yn rhagor. Aethpwyd ag ef i'r ysbyty a chafodd 54 o driniaethau sioc electrig. 'Doedd meddygon yr Undeb Sofietaidd ddim yn bleidiol i'r driniaeth o gwbl.

Roedd erbyn hyn yn wan ac yn denau. Dychwelodd i'r Unol Daleithiau yn 1963. Yr oedd yn rhy wan i frwydro go iawn ond rocdd ci frwydr yn erbyn gwahanu ar sail lliw ac yn erbyn anghyfiawnder yn y blynyddoedd cynnar wedi gosod sylfeini i Fudiadau Hawliau Sifil ac i Fudiadau Ymwybyddiaeth Du yn yr Amerig a thu hwnt.

The years of repression, attack, and constant activity inevitably took their toll.

By 1961, Robeson had decided he would return to America after completing a planned world tour that was to include visits to Africa, India, China and Cuba. He was anxious to join the fight for civil rights in his own country. However, these plans were aborted when, during a stay in the Soviet Union, Robeson experienced a psychological breakdown.

He recovered rapidly under the care of his Soviet doctors, but on returning to London he had a relapse. Despite his Soviet doctors' advice to the contrary, he was admitted to a hospital and subjected to an unimaginable 54 electroshock treatments.

Gaunt and worn, he returned to the States in 1963. Although too ill now for any active struggle, his fights against segregation and injustice in earlier years had helped lay the foundation for the Civil Rights and Black Awareness Movements in America and beyond.

Ar achlysur ei benblwydd yn 75 oed, mewn gala yn Carnegie Hall, fe grynhodd y Cyngresydd Andrew Young fywyd y dyn pwysig hwn mewn hanes: Dywedodd *"petai Robeson heb gadw ati i gynnal fflam ffydd gobaith drwy gyfnodau tywyllaf hanes ... fyddai llwyddiannau'r 60au ddim yn bosibl."*

Yn Rhagfyr 1965 ar ôl brwydr faith yn erbyn cancr, fe fu farw Eslanda. Roedd Robeson yn brwydro hefyd - cai gyfnodau dryslyd a phryderus. Camodd yn ôl o'r llwyfan ac aeth i fyw bywyd tawel gyda'i chwaer, Marian, yn Philadelphia.

Yn ystod ei flynyddoedd diwethaf roedd y llen o'i amgylch yn dechrau agor.

Ar Ebrill 8 1968, dathlwyd bywyd Robeson yn y Royal Festival Hall yn Llundain. Roedd y comedïwr Bill Owen yn perfformio yno, dwy o'r actoresau a bortreadodd Desdemona gyda Robeson (Peggy Ashcroft a Mary Ure) a Peter O'Toole a Michael Redgrave. Talwyd teyrngedau iddo gan Sybil Thorndike, John Gielgud, Yehudi Menuhin, Flora Robson, Alfie Bass a llawer mwy. Yn yr un flwyddyn dathlodd 27 gwlad ei ben-blwydd yn 70 oed.

Yn 1971, neilltuwyd rhifyn cyfan o'r cylchgrawn chwarterol, *Freedomways* i *'Robeson: The Great Forerunner'* Enwebodd *Ebony* ef fel un o'r *'10 Prif Ddyn Du yn Hanes'*.

Cafodd ei dderbyn i Neuadd Enwogrwydd Theatr Genedlaethol yr UDA yn 1972.

Efallai mai'r deyrnged fwyaf dramatig i Paul Robeson oedd dathliad ei ben-blwydd yn 75 mlwydd oed. Yng Ngharnegie Hall daeth llawer o enwogion ynghyd fel Harry Belafonte a Paul Robeson yr Ieuengaf i glywed recordiad o neges Paul Robeson.

"Er na fûm i'n weithgar ers blynyddoedd lawer, rwyf eisiau i chi wybod mai yr un Paul ydwyf, yn dal i frwydro am ddynoliaeth, am ryddid, am heddwch ac am frawdoliaeth ...
Er na fu fy iechyd yn gryf, yr wyf yn dal i ganu yn fy nghalon:

'But I keeps laughing instead of crying;
I must keep fighting until I'm dying;
And Ol' Man River,
He just keeps rolling along!"

Congressman Andrew Young, on the occasion of Robeson's Carnegie Hall 75th birthday gala salute, summed up the historical importance of the man when he wrote that had Robeson not **"kept alive a legacy of hope through some of the darkest days of our history ... our accomplishments in the 60s would not have been possible."**

In December 1965, after a lengthy battle with cancer, Eslanda died.

Struggling with recurring symptoms of anxiety and confusion, Robeson withdrew from the world stage and lived quietly in Philadelphia with his sister, Marian.

During Robeson's last years there were significant openings in the curtain of silence drawn around him.

On 8 April 1968, there was a celebration of Robeson's life at London's Royal Festival Hall. Performing were the comedian Bill Owen, Robeson's two British Desdemonas (Peggy Ashcroft and Mary Ure) and Peter O'Toole and Michael Redgrave. Tributes came from Sybil Thorndike, John Gielgud, Yehudi Menuhin, Flora Robson, Alfie Bass and many more. In the same year, 27 countries held celebrations of his 70th birthday.

In 1971, an entire issue of *Freedomways*, the quarterly journal of the Freedom Movement was devoted to *'Robeson: The Great Forerunner'. Ebony* named him one of the *'10 Greats of Black History'*.

He was inducted into the US National Theatre Hall of Fame in 1972.

Perhaps the most dramatic tribute to Robeson's legacy was a 75th birthday celebration in Carnegie Hall. Many notables joined Harry Belafonte and Paul Robeson Jnr to hear Paul's recorded message:

"Though I have not been able to be active for several years, I want you to know that I am the same Paul, dedicated as ever to the worldwide cause of humanity for freedom, peace and brotherhood ....

Though ill health has compelled my retirement, you can be sure that in my heart I go on singing:

'But I keeps laughing instead of crying;
I must keep fighting until I'm dying;
And Ol' Man River,
He just keeps rolling along!'"

GALA CENTENNIAL SALUTE
PAUL ROBESON: OL' MAN RIVER

STARS OF STAGE...SCREEN...CONCERT HALL

MUHAMMAD ALI · F. MURRAY ABRAHAM
HARRY BELAFONTE · ROSCOE LEE BROWNE
OSSIE DAVIS · RUBY DEE · CHARLES DUTTON
DANNY GLOVER · WHOOPI GOLDBERG
GIL NOBLE · PETE SEEGER · ALFRE WOODARD
NEW YORK CITY LABOR CHORUS
SOUTH WALES ONLLWYN MALE VOICE CHOIR
(Partial Listing)

CARNEGIE HALL
MONDAY, NOVEMBER 30, 1998
7:30 PM

Tickets: $500, $250, $100, $ 50, $25, $20
Available at the Carnegie Hall Box Office
154 West 57th Street, NYC
(212) 247-7800

For further information and mail order tickets:
THE PAUL ROBESON FOUNDATION
1560 Broadway, Suite 1600
New York, NY 10036
Phone (212) 302-8477; Fax (212) 302-8479

SPONSORED BY THE PAUL ROBESON FOUNDATION

llais america
the voice of america

"Ar y trydydd ar hugain o Ionawr, 1976 fe fu farw llais Negroaid yr Amerig. Roedd wedi ysbrydoli, diddanu a chyffroi miloedd o bobl drwy'r byd i gyd. Ar ôl deng mlynedd o salwch ac ymddeoliad fe fu farw yn 77 mlwydd oed."

"The voice of America's renowned negro star that thrilled, enthused and inspired millions of people throughout the world was finally stilled on Friday, January 23rd, 1976, when, after ten years of retirement and illness, he died at the end of 77 years."

Adroddiad Blynyddol Undeb Glowyr De Cymru 1976
National Union of Mineworkers South Wales Area Council 1976 Annual Report

Daeth pum mil o bobl i dalu'r deyrnged olaf i Paul Robeson yn Eglwys Mother AME Zion yn Harlem. Roedd llawer ohonyn nhw'n aros y tu allan yn y glaw. Clywyd recordiad o Robeson yn canu *'Deep River'*.

Trefnodd Glowyr De Cymru gyngerdd coffa ym Mhafiliwn Porthcawl ar nos Sul, 28 Chwefror, 1976. Cawsant gyfle i hel atgofion am hen gyfaill. Yn ystod ei fywyd yr oedd wedi uno â hwy ac yr oedd wedi gadael ei ôl ar eu bywydau.

Mae dilyn taith bywyd Robeson wedi rhoi darlun clir i ni o'r cyfnod yr oedd yn byw ynddo. Cyffyrddodd ei fywyd rhyfeddol â'n bywydau ni. Bydd yn dal i fod yn berthnasol i ni yma yng Nghymru.

"Fel petawn i'n sefyll yna, gyda chi"

Paul Robeson

linc traws-Iwerydd dros y ffôn
i Eisteddfod y Glowyr, Porthcawl,
5 Hydref 1957

Five thousand people attended Paul Robeson's funeral service in the Mother AME Zion Church in Harlem, many standing in the rain outside. The assembled group listened in silence to a recording of Robeson, his incomparable voice singing *'Deep River'*. South Wales miners organised a commemorative concert in the Porthcawl Pavilion on Sunday, 28 February, 1976. Here they could cherish memories of an old friend, whose life offered them a unifying legacy of hope both then and now.

Paul Robeson's journey provides an illuminating picture of the recent past which continues to shape our present day lives. So many have already been touched by his extraordinary life. His relevance to our future here in Wales will remain as strong as ever, as others continue to discover him.

"It seems I am standing right there with you."

Paul Robeson

by trans-Atlantic telephone
to Miners' Eisteddfod, Porthcawl
5 October 1957

Paul Robeson

Toriad Leino gan Leopoldo Méndez, Mecsico
Linocut by Leopoldo Méndez, Mexico

1898 - 1976